JN092528

まさこ百景

伊藤まさこ

はじめに

子どもの頃、わたしが着る服は、ほとんどが母の手づくりでした。まずはスタイルブックを眺め、好きな形を決めたら、次は生地屋さんに行き、布地をえらぶ。ボタンはこんなのがいいなぁ。裏地っていうのも必要なんだ。そこでは服に関するいろいろなことを学びましたが、なんといっても一番ためになったのは、「自分で身につけるものを自分でえらぶ」でした。

そういえば母は、食べるものでも使う食器にしても、いつも「これにしなさい」ではなくって、「どれがいい？」と聞いてくれる。もちろん子どもですから、失敗したり、間違うこともあるけれど、自分でえらんだものなのだからと、責任がともなう。次に失敗することも少なくなる。これはかなり勉強になるとともに、自分の眼を養うきっかけにもなったのでした。

服やうつわ、暮らしにまつわるあんなものやこんなもの。それらをえらぶ時に、わたしはあんまり悩まない。スタイリストですから、たくさんのものを見てきました。それも、瞬時に「好きかそうでないか」を見極めることができるようになった理由のひとつ

かもしれないけれど、子どもの頃のこうした経験がかなり役に立っているのではないかと、今になって思っています。

さて、この本では「まさこ百景」というその名の通り、100の好きなものを紹介しています。手ざわりが好き。機能がすぐれている。ずっと好きなもの。なんだかかわいいから……えらんだ理由はいろいろですが、ひとつ言えることがある。それは、そのものすべてに風景が宿っていること。それにつきます。ものの数だけ景色があるのです。

風景をつくる仕事は世の中にいろいろありますが、スタイリストもそのうちのひとつかなと思っています。2年前からはじめた「ほぼ日」の中の weeksdays（ウィークスデイズ）という店では、こんなものがあったらいいなぁ、うれしいよね？　という気持ちを大切に、スタイリストそして一生活者としての視線でものづくりをしています。みなさんの家にあったらちょっとうれしくなるような、いい景色をつくってくれるようなそんなもの。100の中にもいくつか入っているので、どうぞごらんくださいね。

伊藤まさこ

もくじ

本文中のデータは 2020 年 7 月 9 日現在のものです。

わたしの生活必需品

001 | フライパン

ボウルやざる、ミルクパン、カトラリー、あれ？ フライ返しもだ！ ふと台所を見回すと、柳宗理デザインのなんと多いことよ、と思います。機能的に優れているのに、ちっともとんがっていない。それどころか、おだやかでやさしげな空気漂う柳のプロダクト。ああ、いいなぁ。使っていてうれしくなるのは、あのお茶目な笑顔のせいでもあるのかも。

娘のお弁当づくりに役立つだろうと買った、小さなフライパンもそのひとつ。卵焼き、ウィンナー炒め、ひとり分のチキンライス。唐揚げなどの揚げものだってこれでできちゃう。毎日のお弁当づくりがたのしく、無理なくできたのはこのフライパンのおかげ、と言っても大げさではないくらい。

さて、お弁当づくりも卒業した今、使っていないかというとこれがまだまだ現役です。目玉焼きをつくったり、じゃこやごまを煎ったりと、ちょこっと何かをつくる時にとっても重宝。実家にも同じものがあって、どうやら母もよく使っているみたい。よいものって年代を問わず愛される。その見本みたいな製品ではないかしら。

柳宗理（やなぎそうり 1915 − 2011）は日本を代表するインダストリアルデザイナー。家具、自動車、建造物、おもちゃ、台所用品など、昭和の暮らしに欠かせない、さまざまな「もの」を手がけてきました。生誕100年を超えた今も、氏のデザインしたアイテムの多くは、現役で販売され続けています。

002 | アイロン

ここ 10 年ほどずっと、大量の蒸気が自慢のアイロンを使っていました。ブワーッという蒸気はシワをいとも簡単にのばしてくれたのですが、いかんせん大きいのが悩みの種。調子が悪くなったのをきっかけに買い換えることにしました。

そこで思い出したのが、学生時代に教材として買ったアイロン。ずしりと重いけれど、その分しっかりシワが取れたし、小回りがきいて使いやすかったっけ。記憶をたぐりよせてたぐりよせて……今手に入るもので、そのイメージに一番近い D.B.K. 社のアイロンを買うことにしました。コードつきなのでパワーダウンすることもなし。1.5 キロの重みはプレス効果ばっちり。使い方もシンプルでわかりやすく、買ってすぐに大満足。ちょっと男前なデザインもわたしの気持ちにぴたりときたのでした。

アイロンがけは日曜日の仕事。1 週間分のハンカチやシャツをピシーッとさせて、気持ちもしゃっきり。よし、明日からがんばってはたらくぞ！　と気合いをいれるのです。

ドイツの電熱専門メーカー D.B.K. 社のアイロン「THE ACADEMIC J80T」。スチールボディでしっかりした重さがあり、底板をアルミにすることで熱伝導率を高め、フッ素樹脂加工をしていることでなめらかに布の上をすべります。スチームの穴は 25 個。コードの接続部分は上下するつくりになっています。

003 蒸籠（せいろ）

生まれ育った横浜は、今でも月に一度は訪れる馴染んだ街。パンなら元町のあそこ、お肉ならここ。粽（ちまき）はここ、調味料ならあそこ、なんて、行く店はたいてい決まっていて、効率よく回れる道順も体がちゃーんとおぼえてる。途中、必ず寄るのが、中華街のメインストリートの中ほどにある、照宝という中華専門の道具屋さん。蒸籠も餃子づくりの時に使うヘラも、買い足すことはそうそうないから、毎回行かなくてもいいのだけれど、そこはスタイリストの性（さが）。何かいいものないかしら？　と、ついのぞいてしまうのです。年季の入った写真の蒸籠は3代目。大きい方は塩豚や季節の野菜を蒸して晩ごはんに。小さい方はひとり分の冷凍ごはんを解凍したり、シュウマイを蒸したりと、その時々で使い分けています。ほかほかの蒸籠をテーブルに持って行き、蓋を開けた瞬間、毎度歓声があがるのも料理をつくる側としてはうれしいポイント。湯気の持つ威力ってすごいのです。

長持ちさせるコツは、使ったらよく乾燥させてからしまうこと。我が家は冷蔵庫の上が定位置です。

「照宝」の定番の蒸籠は、材質が杉。少し深めの約5センチになっていることで、背のある食材を蒸すのにも便利です。さらに「杉上」という、より丈夫なつくりのもの、竹を使ったさらに丈夫なもの、白木のもの、そして檜のものがあります。杉と檜は、蒸し上がりのほのかな香りもたのしめます。

004 | キッチンクロス

旅先で、かわいい柄や、めずらしい色合いのキッチンクロスを見つけるたびに、ついついうれしくなって買っていた時期がありました。でも家に帰って使いはじめると、なんだか落ち着かない。いろんな国のいろんなキッチンクロスが大集合した様子は、にぎやかでたのしくもあったのですが、「ううむ、なんだか自分の台所じゃないみたい」、そんな違和感を覚えていたのでした。

そこでえいやっと思い立ち、fog のキッチンクロスにそろえたのが今から15年くらい前のこと。するとなんということでしょう、たちどころに台所がすっきり。気持ちまですっきりして台所仕事がはかどるようになったのです。

以来、くたっとしてきたなぁと思ったら20枚ずつ買っては使って……を繰り返して、今では台所に、洗いたてのこのリネンのクロスがたっぷり用意してあるのが見慣れた光景になりました。

1日の終わり、使い終わったリネンを洗って、干してから眠りにつきます。朝は、乾いたリネンをたたむことからはじまります。わたしの生活のリズムはリネンが整えてくれているんだなぁ。

fog とは東京のリネンブランド、フォグリネンワーク（fog linen work）のこと。麻製品で有名なリトアニアと太いパイプをもち、直接現地の工場で生産することでリーズナブルな価格を実現しています。このキッチンクロスは 45 × 65 センチ。よく水を吸って、すぐに乾きます。

005 | カッティングボード

木工作家の山口和宏さんにお会いするといつも「作品はその人を あらわすものだなぁ」と思います。ぽつりぽつりと、えらびなが ら出る言葉はとても正直でやさしい。毎日使う台所道具は、自分 にやさしくいてほしい。口あたりのよいうつわをえらぶ時のよう に、道具は手のあたりのいいものがいい。山口さんのつくる木の 道具は、そんな気持ちにぴったりなのです。

左は、もうずいぶん前に買ったもの。カッティングボードとして 使うこともあるけれど、パンとチーズとドライフルーツをのせて ワインのあるテーブルに、なんていう時にもぴったり。「フラン スの田舎で使われていた古いカッティングボードを見て、つくり たくなったんです」と聞いて、それはぴったりなわけだと納得。 手入れはわりといい加減ですが、ごらんの通り、ナイフの跡や鍋 を置いた時の焦げ跡なんかもいい。使ううちに味わいが増すのも 木のボードの魅力です。右の四角いのは、同じ素材でつくってい ただいた weeksdays のオリジナル。早くいい味にならないかなぁ と、日々、せっせと使っているところ。

福岡県のうきは市にアトリエと住まいを構える木工作家の山口和宏さん。1956 年に北九州で生まれ、30歳の年に家具職人として独立をしました。2018年 には木工品と喫茶のお店「jingoro」をオープン。国産の山桜を使ったカッティ ングボードは、シンプルな正方形でありながら、作家性にあふれています。

006 ｜ ハンカチ

女の人を美しいなと思う仕草のひとつに、ハンカチをあつかう手の動きがあります。バッグから出し、そっと額の汗をおさえたり、しずかに口元に持っていったり。何か大切なものを包む時もまたいい。何気ない日常のひとこまではあるけれど、そんな動作がさりげなく、品よくできる人に憧れます。

最近、わたしをハッとさせる仕草をする人は、多くがリネンのハンカチを持っている、ということに気がつきました。清潔できちんとアイロンがかかったまっ白なリネンは女の人をきれいに見せるのです。

「洗練」や「さりげなさ」はそうやすやすとは真似できませんが、リネンのハンカチを持つことはできる。形から入るのはいつものことで、だったら一から気に入ったものを……とつくったのが、ベトナム手刺繍のリネンのハンカチです。ひとつひとつていねいにほどこされた刺繍は、ほれぼれするほど美しく、さらりとした使い心地は夢のよう。いつか、このハンカチが似合うすてきな人になりたいものだと願うばかり。

フランス人が教えて帰った、教会のシスターがフランスに行き習ってきた、中国に習いに行ったベトナム人が技術を持ち帰ったなど、起源に諸説のあるベトナム刺繍。近年、ほとんどが工業製品になっているなか、ホーチミンでは今も腕のいい職人さんが活躍、ていねいな手仕事を続けています。

007 | はさみ

ヘルシンキから西へ88キロほどのところにあるフィスカルスの村。ここでは年に一度、大規模なアンティークマーケットが開かれることでも知られていますが、なんといっても村の名を冠した「フィスカース社」が有名。そう、あのオレンジ色の持ち手のはさみが印象的なフィスカースです。

マーケット帰り、せっかくならばと街中の大きなショップに立ち寄ってみたところ、あるある、ハサミがたーくさん。用途ごとに「切るため」の道具がこんなにあるとは！　とびっくり。一緒にいた友人と大興奮して買……わなかったんです。オレンジ色の持ち手がどうにも派手に感じてしまって。

翌日、マーケットで買ったうつわを梱包し、ヘルシンキの中央駅近くの郵便局へ。そこで見つけたのがこのモスグリーン（これもフィスカース社製）のはさみ。うんうん、これなら我が家にも合いそう。テーブルに出しておいても目のじゃまにならないところもいいではないか、と大満足。前のめる気持ちをいったん抑えて、一呼吸おくのもたまにはいいものだ、と知ったのはこの旅の収穫。

フィンランドで刃物といえば1649年創業のフィスカース（Fiskars）。台所用品、ガーデニング、文具、大工道具と、いろいろな分野の刃物をつくっています。なかでも有名なのが、はさみ。ヘルシンキのデザインミュージアムでは、2017年に、フィスカースのはさみがテーマの展覧会が開かれたほどです。

008 ｜ 小ひきだし

「どうして家のなかが散らかっていないの？」我が家を訪れた人から、よくこんな言葉をかけられます。どうしてだろう？　と考えると、答えは簡単。「出したら、もとの場所にしまうから」なのでした。今でこそ、こんなことを言っているわたしですが、家のなかの行き場のない、あれやこれやが散らかっている時もありました。使っていない鍵、取れてしまったボタン、昔撮った証明写真、何に使うかわからなくなってしまった充電器。ああ、そうそう！　と、思いあたるふし、だれにでもきっとあるはずです。ところがある時、小道具屋で見つけた小ひきだしをためしに使ってみたら、これがなかなかいいのです。ちょっとずつ買い足して……しばらくした頃「出したらしまう」がすっかり身についていました。わたしの持っている古い小ひきだしのいいなあと思うところを集めて、オリジナルの小ひきだしをつくってくださったのが、福岡のはじっこ、うきはというところにある杉工場。こまごましたものをこれに収めたら、すっきり、さっぱり。見た目だけでなく気持ちの整理整頓にもなりました。

福岡県の筑後地方、うきは市にある創業明治19年の家具メーカー「杉工場」。杉材を使うからではなく、当主の名前が「杉さん」ゆえの名前です。この小ひきだしはナラ材のオイル仕上げ。表裏がないデザインで、どちらからも使うことができ、段をそのまま抜き出せば、トレーとしても利用できます。

009 | 銀メッキのお盆

適度なかたさで加工がしやすく、さらには耐久性にもすぐれているという真鍮。こちらのお盆は、その真鍮にさらに銀メッキをほどこしたもの（真鍮そのままの色合いを生かしたものもあります）。デザインしたのは猿山修さん。weeksdaysでは、天草の白い陶石を使ったオーバルプレートや丸皿、桜のカッティングボードなどでお世話になっているデザイナーさんです。

猿山さんのデザインするものは、どこかすらりとしていてきれいなのですが、このお盆もまたしかり。大きさ（わたしのは直径29センチ）や重みもほどよいし、リムの立ち上がりや、テーブルにおいた様子、さらにはカッティングボードと一緒に立てかけてある時の側面から見た姿まで美しい。使ううちに、手やうつわが触れる部分の色がくすんで、味わい深くなっていくのですが、それもまたいいでしょう？　「自分だけのお盆」に育っていく様子を見るのもうれしいものなのです。

使ったあとはやわらかい布でよく拭き取って。和にも洋のうつわにも合うこのお盆。真鍮の方も買おうかなぁと思案中です。

銀メッキ仕上げは、新品は輝きのある銀色ですが、使っていくうちに色が鈍くくすみ、陰影のある色合いに変化していきます。手やうつわなどがよく触れる箇所には「アタリ」と呼ばれる、独特の風合いが表れ、自分だけのものに育っていきます。サイズは直径29センチの大と、直径24センチの小があります。

010 救急箱

ギャラリーのオーナーとか、バイヤーとか、それからスタイリストも。ものをたくさん見て、瞬時に「いいものとそうでないもの」を見極める仕事についている人は、とにかく目が速い。もともとそうだからその仕事をしているのか？　それとも仕事をしているうちにそうなっていくのか？　もしかしたら両方なのかもしれません。わたしもどちらかというと速い方。森の中できのこを見つけるのも得意です。「きのこ、きのこ……」と心と体すべてをきのこに集中させると、森のしげみや木の根っこ付近から、ひょっこり現れる。それをわたしは「きのこ目」と呼んでいます。何かひとつこれ、というものを見つけたい時に「きのこ目」は、大活躍。たとえば、フィンランドの木製救急箱。もともと持っていたのですが、もうひとつほしいなぁ、見つけねば！　市めぐりの最中はずっときのこ目。するとすぐに見つかったんです、救急箱がいくつも。そのなかから状態のよいものをチェックして、一番きれいだったのがこれ。きのこ目の日は神経を研ぎ澄ませるからか、夜はバタンキュー。これをわたしは「きのこ寝」と呼んでいます。

常備薬や応急処置の医療品が入った救急箱（First aid kit）がいつから家庭に置かれたかは定かではありませんが、商品としては Johnson & Johnson 社が1888 年に発売したという記録があります。日本では明治 26 年に軍の部隊に配布されたのがはじまり。家庭に普及したのはその後のことといわれます。

気持ちいいって大事です

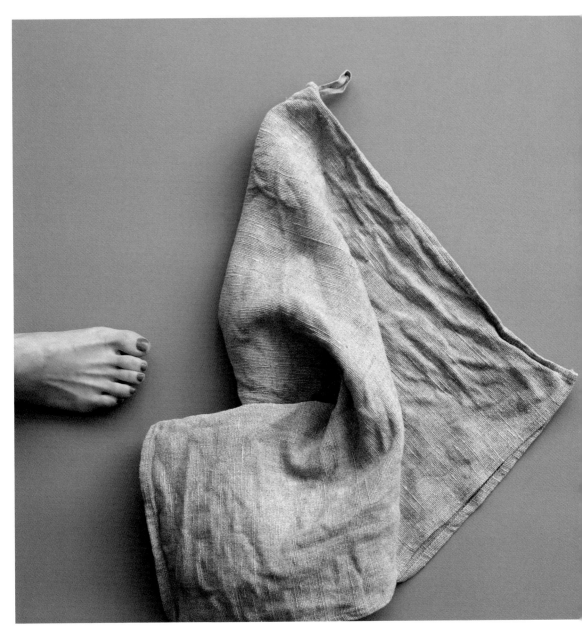

011 | バスマット

weeksdays では「ほしいものをつくる」だけではなくて、その
ほしいものの背景や、物語、つくっている人の思いなどもコンテ
ンツでつぶさに紹介しています。ゲストをまじえた対談や鼎談も
多々ありまして、時に真面目、時に笑いをまじえたそのコンテン
ツは、（自分で言うのもなんですが）読み応え充分。チームのは
げみになったり「よし、次はこんなものをつくろう！」なんて企
画のアイデアの元となったりもしています。ブルータス編集長の
西田善太さんと、カーサ ブルータス編集長の西尾洋一さんをお
呼びした鼎談「ほしいものはたくさんある。」では、ほしいけれ
どないものについてあれこれお話ししたのですが、そこから形に
なったのがこのバスマット。そもそもはわたしの、「バスマットっ
てどうしてあの大きさなんだろ？」という疑問から生まれたもの
です。濡れた身体を気にしないで使える、ちょっと大ぶりなリネ
ンのマットは、「つくってよかった」としみじみ思えるアイテム。
お風呂上がりの足元を気持ちよく迎えてくれることうけあいで
す。バスルームはいつもこざっぱりとさせておきたいですから！

リネンは、繊維の中が中空になっているため、水分を吸湿・発散しやすい素材。
洗っても乾きやすいので、繊維の中に雑菌をためにくく、清潔が保ちやすいこ
とから、バスマットに最適な素材といえます。このバスマットは長辺 90 セン
チ、短辺 65 センチの大きな長方形です。

012 | キャミソール

年を重ねるごとに気になってきたのは、下着の肌ざわり。やさしく、やわらかく、なるべく肌に負担をかけないものをと、くしゅっとさせたり、さすってみたり。えらぶ時の目は真剣です。肌が乾燥にさらされる冬は、ことに慎重にえらびたいもの。ma.to.wa のシルクのキャミソールは、持った時に、ふわり。着てみると、しっとりと身体に馴染みあたたかい。「やさしい何かに守られている」はじめて身につけた瞬間から、自分の一部のようになるのです。「第二の肌」なんて言われている素材、シルク。なるほどたしかにそうだわと納得です。

色はモカ、ネイビー、モーブと3色あって、写真のキャミソールはモカ。白いシャツの下につけた時に透けない色をと、デザイナーの太香子さんが考えた色（weeksdays オリジナルカラーはモーブで、こちらもいいんです）。軽くて薄手。「透けない」とか「下着のラインが出ない」とか、下着をえらぶ時に、気をつけたいいろいろをクリアしているのもうれしい。

シルクを、糸の段階でウォッシャブル加工をほどこし、リブ素材をつくって立体縫製したキャミソールです。パリのオペラ座の衣裳室出身というユニークな経歴の下着デザイナー、恵谷太香子さんが、この素材と出会って立ち上げた下着ブランド ma.to.wa（マトワ）の製品です。

013 | ネックピロー・アイピロー

おじさんたちってビールをごくごくと飲み干したあと「あ〜」と至福の声をあげるでしょう？　それから熱いおしぼりで顔を拭いたあと首にあててまた「あ〜」。その光景を見ると、心底うらやましいなって思うんです。だってこちら立派な年したレディですからね、人前でまさかできっこないに決まってる……そんなことを思っていた矢先、とてもいいものを見つけたんです。

それがこのネックピローとアイピロー。電子レンジで数分温めて使うのですが、その気持ちいいことといったら！　パソコンで疲れた目や凝った肩、首回りをほわぁーんと温めてくれる。夜眠りにつく前、このピローで温めるのを習慣にしたら、身体がとてもらくになりました。なかに入っているのはオーガニックの麦。このピローがつくられたスウェーデンでは、「小麦の熱は不調を癒す」と言われており、昔ながらの自然療法なのだとか。KLIPPAN のファブリックを使ったカバーもすっきりしていていいではありませんか？　まずはじめはわたしが。次は娘。それから母も愛用。どんな年代でも「気持ちいい」って感じるアイテムです。

KLIPPAN（クリッパン）は 1879 年創業のスウェーデンのホームテキスタイルブランド。このネックピローとアイピローは、KRAV（スウェーデンのオーガニック基準）認証を受けた有機小麦が入っており、冷やしても使えます。テキスタイルデザインはヘルシンキが拠点のデザインユニット、muovo。

014 ビーチサンダル

一年のはじまりは、真新しい足袋をおろすことにしています。まっ白な足元は清々しくて潔い。おしゃれは足元から、とはよく言ったもんだと思います。パリッとした足袋に足を通すと、親指と人差し指がきゅきゅっと分かれて気持ちいい。と同時に背筋まで伸びてくるから不思議です。

ゴールデンウィークの前あたり、そろそろ素足で歩きたいなぁ、なんて気持ちになったら、葉山のげんべい商店へビーチサンダルを買いに出かけます。毎年必ず買うのはまっ白。それにプラスしてその時の気分にあった色をもう一足。鼻緒に足を通すと、これまた親指と人差し指がきゅきゅっと分かれて気持ちいい。ああいよいよ夏がくるんだ、と思う瞬間です。

新年は足袋を、初夏はビーサンを買うのがここ数年の季節の行事になっているのですが、このふたつに共通するのは「ふだん使わない身体の一部が刺激されること」。そこから新しい風がふわーっと入ってくるような、そんな気分になって新鮮。この感覚、ぜひともみんなにわかってほしい。ほんとうに気持ちいいんだから。

「げんべい商店」は江戸時代の文久3年（1863年）に、葉山で足袋屋として創業。初代葉山源兵衛から数えて、現在の当主は5代目。一時はよろず屋として営業をしていましたが、1950年代からビーチサンダルの販売を始め、大人気に。葉山町にある3店舗は、夏はたいへんなにぎわいです。

015 | ローブ

台所仕事に欠かせないのは、清潔なリネンのキッチンクロス。ここちよい眠りのために用意しているのは、こざっぱりと洗い上げたベッドリネン。洗ってもすぐに乾くから、いつでも快適。おろしたてはパリッと少しかたく、使い込んでいくうちにしなやかに。どちらのさわり心地もかんじがよいからやめられない。リネンと出会ってから20年近く、わたしの毎日をささえてくれるなくてはならない素材なのです。

さらりとした肌ざわりがことさら恋しくなる夏のためにつくったのがこのローブ。シャワーのあと、さっと羽織るものがあったらいいなぁ。じつは服に着替える前、肌の手入れをしたり、髪を乾かす間に着るもの、どうしたらいいんだろう？　と思っていたのです。できあがりは大正解！　タオルを巻くのとも、服を着るのともちょっと違う、それの中間くらいの頃合いのよい服。ああ、なんて気持ちいいんだろう。お風呂上がりの時間がよりのしくなりました。ところでこれ外着にもいいですね、とはお客様の声。なるほどそれは新発見。ものづくりのおもしろいのはそんなところ。

細い糸で織った薄手のリネンの生地で仕立てたローブ。浴衣のようなボックス型のシルエットです。濡れた素肌に羽織れば吸水性がよく、すぐに乾くので、まずおすすめしたいのはお風呂上がり。夏の冷房で肌寒い室内や、春先から秋口まで薄い羽織りものとしても活躍します。水着の上などに着ても。

016 | ヴィンテージリネン

フランス人はいけずという人がいるけれど、ちっともそうは思わない。今まで何度となくフランスを旅しましたが、思い出すのはいつも親切に接してくれた記憶ばかり。このリネンの店のマダムもそのひとりです。出会ったのは冬の雨の日曜日。朝一番、開店前にやってきたわたしに不機嫌な顔ひとつ見せず、まだお店の準備が整っていないけれどどうぞ、と店に招き入れてくれました。適当に放っておいてくれる気楽さを漂わせつつも、何か尋ねればていねいに答えてくれる。おお、お店をするのならばこういう店主になりたいものだわと思う素晴らしい接客。気分がよくなって、つい多めに買ってしまいましたが、それもまた旅のいい思い出です。買って帰ったリネンは、洗ってから半乾きの時にアイロンをかけてぴしりと整えます。棚にずっと眠っていたと思われる、ちょっと埃をかぶったヴィンテージのリネンも、この作業で見違えるほどきれいに。使っていて気持ちのいいリネンですが、このアイロンの作業も気持ちいい。気持ちいいって生きていく上で大切にしたい感覚だわ、とリネンの手入れをする度に思うのです。

フランスは、世界有数のリネン（亜麻）の生産国。なかでも産地として知られるブルターニュ地方は、海が近く、代わるがわるやってくる雨と太陽、強い風、そして土壌、すべてが栽培に適しています。起源はエジプトで、博物館にあるエジプトのミイラの包帯もリネンなのだそうです。

017 | ルームパンツ

春先から、夏の終わりまで、毎日のように穿くのが、男もののトランクスです。え？　と思う方もきっといるでしょう。適度にゆとりがあって、女々しくなくって、洗濯にも強くて……といいところばかりのトランクスはわたしの気に入りのアイテムなのです。

とはいっても、男ものを穿くのはなぁ、という人のために、イギリスの下着メーカー、サンスペルとともにコットン100パーセントのパンツをつくりました。レディのためですもの、もちろん前開きはなし。今日は無地、明日はチェック、そのまた明日はストライプと、日替わりでたのしめるよりどりみどりの6枚です。名前は部屋で穿くから「ルームパンツ」。糸井重里さんが考えてくれたのですが、なんだかちょっとお茶目なひびきがいいでしょう？　一見、男っぽいけれど、適度にゆとりがあって穿くとどこかかわいらしい。きりりとかっこいい部分と、かわいい部分をあわせ持った頃合いのよいパンツなのです。

1860年に英国で誕生したサンスペル（SUNSPEL）は、男性向けの肌着メーカーとして知られてきましたが、近年、女性むけのアイテムを発表、現在はアンダーウェアからコートまで、男女ともに展開をする総合アパレルです。上質なコットンポプリン素材ですから、さらりとしていて、ふわっとした穿き心地。

018 ｜ カシミアニット

毎日カシミアが着たいなんて、ちょっとぜいたく？　いえいえそんなことはありません。大人なんだし、日々いろいろとがんばっているんだし。自分を甘やかしたっていいのでは、なんて思うのです。weeksdays でつくったのは、グレーやうすい茶色のセーターです。イメージは穿き慣れたデニムや、着慣れた T シャツのような、自分に馴染んでくれるもの。丸首で、長袖で、セットインスリーブで……ととてもスタンダードな形のこういうセーター、ありそうでなかなかないのです。

軽くてあたたか。素肌に着れば気持ちよく、セーターにありがちな「ちくちくする」というストレスは一切なし。袖を通すたびに、つい口に出しちゃう。「ああ、気持ちいい！」ってね。

さて、このセーターをつくってから、冬を 2 回越しました。色も少しずつ増えてきて今では 3 色。今やすっかりわたしの定番になりました。デニムを合わせればカジュアルに、首元にパールのネックレスをすれば品よく。合わせるものによって印象が変わるのは、シンプルだからこそ。この次の冬は何色をつくろうかなぁ。

カシミアの風合いがよい理由は、繊維の細さにあります。ウールの一般的繊度は 19 〜 24 μm。それと比較すると、カシミアの平均繊度は 14 〜 16 μm。また、スケール（顕微鏡でなければ見えない、うろこ状の表皮部分）がまばらで突起が小さいことから、皮膚への刺激も少なくチクチクしにくい素材なのです。

019 | ブランケット

ああ今、冬になった。ツンと冷たい風が鼻のてっぺんをなでた時が、秋から冬に変わった瞬間。季節の変わり目はいつもこんなふうにとつぜんやってきます。さてと、冬じたくをはじめよう。ちょっとぽってりしたマグカップや毛糸のティーコゼ、ふかふかした羊のルームシューズ。そうそう、忘れてはならないのがブランケットです。一番下はもみの木柄。その上は体をすっぽり覆う大きなカシミア毛布。その上のチェック柄は、イギリスの湖水地方を旅した時に見つけたもの。白からグレーにかけての濃淡は、羊それぞれの毛色を活かしているんだって。

一番上に置いたのは、ロロスツイードのハーフブランケット。ハーフ、という通りちょっと小さめ。ひざ掛けにちょうどいい大きさです。原料は無農薬の牧草を食べて育った羊の新毛。水に強く、繊維の回復力も高く、かつ柔らかさも兼ねているというすぐれた素材です。寒い日でも、このもこもこしたブランケットのかたまりを見れば、あったかい気持ちになる。まるでできたてのスープを飲んだ時のようにね。

ノルウェー中部のロロス村。海抜 600 メートル、冬はマイナス 40 度にもなるという世界遺産としても知られる小さな村で「ロロスツイード」(Roros Tweed)はつくられています。原毛は、ノルウェージャン・ホワイトシープ。無農薬の牧草を食べて育った健康な羊たちから、春に刈り取った毛を使います。

なんで同じものがいくつもほしくなっちゃうんだろ？

020 | 鍋敷き

鍋も好きだけれど、鍋敷きや鍋つかみなど、「鍋関係」のものも好き。あっちこっちで買っていたらあら、こんなに集まったのねぇと自分でも感心する量になっていました。

昔ながらの荒物屋に置いてありそうな藁のもの、北欧の漁師が使うロープで編んだもの、作家がつくった鉄のバッテン形、手編みあり、フェルトあり……と素材も形もいろいろ。並べてみると、どれも馴染みあっているのはきっと、使うほどに味わい深くなる自然な素材でつくられたものが多いからかな。

なかでも、よく考えてつくられているわと感心するのが、20年近く使っている魚のような形がふたつ、組みになった木の鍋敷き（2段目の左から2番目）。これ、距離を近づけたり、離したりすれば、いろんな大きさの鍋に対応できる。シンプルなつくりなのに用途の幅が広くて、使う頻度が高いのです。どこで買ったのかは覚えておらず、しかもその後、売られているのも見たことがなく……いつか weeksdays で、似たような構造の鍋敷きができたらいいなと夢見ているところ。

編集部で調べたのですけれど、魚形の鍋敷きの出自は不明。ちなみにスウェーデン、フィンランド、リトアニアなど北欧には木製の魚が3尾互い違いになってロープでつながれたタイプの鍋敷きがある、との情報も。その右は佐渡島でおばあちゃんたちが雨の日や農閑期に手仕事でつくっているわら鍋敷きです。

021 | エッグスタンド

時々、やってくるうつわのマイブーム。うつわ初心者の頃は粉引の鉢や急須。その後、黒いうつわが流行ったかと思ったら、次はフランスの古くて白いシンプルプレート。漆器ばかり買っている時期もありましたっけ。

3年前突如としてやってきたのがエッグスタンドブーム。きっかけはスウェーデン、ダーラナ地方の湖畔のホテル。ハムにチーズ、パン、ヨーグルトと、いたってスタンダードな朝食が並ぶなか、見つけたのがゆで卵のとなりにそえられたかご入りのエッグスタンド。「お好きなものをどうぞ」。お酒の席で酒器をえらぶシーンがありますが、これはそのスウェーデン朝ごはんバージョン?!なんてかわいいんだろ。

その後、蚤の市やヴィンテージショップでキョロキョロきのこ目（P27参照）。すると見つかりました。いろいろな形をしたエッグスタンドが。家に人が泊まりにくることがないので、憧れの「かごにごろごろ」はかなわない。でもね、いいんです。いつか何かできっと役に立つ日がくると思うから。

ヨーロッパでは一般的な食器であるエッグスタンド。ゆで卵（とくに半熟卵）を食べる時に使います。卵の上部をスプーンやナイフの背で叩いて割り（ドイツには卵を割る道具もあるとか）、上3分の1くらいの殻をむくか、ナイフで切り落とします。そしてスプーンで中身をすくって食べるのでした。

022 | トレー

こちら我が家のトレー。お盆や折敷はまた別にあるから、ここに並べたものは洋部門です。スープにパン、パンケーキにコーヒー、クッキーに紅茶と、トレーの上にのせるものはいろいろ。食事やお茶の時間のたび「さて、今日はどれにしようかな？」と見繕うのですが、上にのせたものとトレーがぴたりとはまると、うれしい。仕事でスタイリングがうまくいった時の達成感と同じ感覚なのです。トレーのいいところは、その上に小さな世界をつくってくれるところ。テーブルに直接置くのとはまた違う景色を見せてくれるところ。「ものをのせて移動させる」だけではないのです。こんな軽くてかさばらず、さっと用意するだけで景色が変わるのだから、みんなもっともっとトレーを活用させようではないか！と声を大きくして言いたい。

わたしが持っているのは、ほとんどが木製。意図して集めたわけではなくて、知らず知らずにそうなっていたのですが、これが料理やうつわを引き立ててくれていいのです。だれかが言ってましたっけ、「トレーは食卓の名脇役」と。ほんとわたしもそう思う。

運んで使うのがお盆、敷いて使うのが折敷（おしき）。洋式のトレーは大きさによってその両方の用途に使えるべんりな道具です。洋風のお膳、ということもできるかもしれません。以前は工業製品の多かった木製トレーですが、最近は木工作家による手づくりの個性的なものも増えてきました。

023 | 鍋

台所はもちろん、納戸の棚にも食器棚のなかにもある鍋。「いったいいくつ持っているの？」と友人に言われて、ひとーつふたーつと数えたものの、20個くらいでやめました。キリないから。
そんなにいらないのではと言われるのは重々承知。でもね、それぞれの鍋にはそれぞれのいいところがあるんです。
たとえば手前、真鍮の取っ手がついた鍋はフィンランドのデザイナー、アンティ・ヌルメスニエミのもの。厚手の鋳物琺瑯は、ゆっくり火が通るので煮込み料理に最適。ついこの前もボルシチをつくりましたが、内側の黒がビーツの赤を引き立てて、かっこよかったなぁ。さらにはテーブルの上に出しても美しくって……と鍋ひとつずつ語りだすと、こんなふうに止まらない。鍋の数だけ物語があるのです。
琺瑯、鋳物、土鍋、打ち出しのアルミ鍋。ひととおり揃って今は少し落ち着いているところ。それでもきっと知らない国を旅したらまた欲しくなっちゃうんだろうなぁ。モロッコのタジン鍋とか、中国の砂鍋とか。

アンティ・ヌルメスニエミ（Antti Nurmesniemi　1927~2003）はフィンランドのデザイナー。ヘルシンキの地下鉄車輌など公共デザインを手がけたいっぽうで、家庭用品も多数デザイン。馬蹄形をした座面が特徴的なサウナスツールや、FINEL社のパーコレーターつきコーヒーポットが代表作です。

024 | バターナイフ

イギリスの南東部にあるライという港町。ここは、アンティークやヴィンテージの店がそこかしこに点在していて、散歩しながら見て回っているとあっという間に半日経ってしまう、というたのしい場所。流れる空気もロンドンとはまったく違ってゆったり。買いものをしているとお茶をすすめられたりして、そこから、このカップいいですね、なんて話がはじまったりすることも。

この時の旅で、わたしが目覚めたのがバターナイフ。いえね、その少し前、ロンドンでアフターヌーンティをした時に、スコーンに塗るクロテッドクリームに添えられたバターナイフがすてきで、ほしくなってしまったのです。

いざ、探し始めるとあるある、たくさん。それもさすが田舎町、ひとつ2、3ポンドととても買いやすい値段設定です。なぜかクリーム色の柄が多いのですが、同じように見えてひとつひとつ違った味わい。どれかに絞ることなんてとてもできない。結局、何本買ったんだろう？　時々、あるものすべて並べてはひとりでニヤニヤ。持っているだけでうれしいものってあるものです。

バターを取り分けるのが先の尖ったバターナイフ（テーブルで共用）、パンにバターを塗るのがバタースプレッダー（個人用）……なのですが、伊藤さんは冷蔵庫から出したての冷たいのを「塗る」のではなく「食べる」のが好き（しかもパンと同量くらい！）だそう。それゆえバターナイフが必要なのですね。

025 | 竹ざる

以前、竹細工の教室に通っていたことがありました。もともとかごやざるの類が好きで、日本各地の竹細工を集めて（もちろん使って）いたのですが、ある時、急に思い立ったのです。そんなに好きならば、いっそのことつくり方を教わろうではないか！　通い始めてわかったのですが、ひとつのものができあがるまでにはたいへんな労力がかかるのですねぇ。たとえばざる。竹を選別するところから始まり、次はひごづくり。そしてやっと編む作業へ……。あの見慣れたざるの形になるまで、それはもうものすごい手間暇。フランス菓子を習った時も同じことを思いました。わたしの出る幕はなし。これからはプロにまかせよう、ってね。

そのプロの職人さんや作家さんたちが編んだざるは、ワインの木箱に入れてワインセラーの上に置いています。産地や竹の種類、編み方によってこんなにもさまざまな意匠に仕上がるのかと見るたびに惚れ惚れ。使うたびにいいなぁとしみじみ。ちゃんと使ってお手入れすれば、それこそ一生もの。わたしがおばあちゃんになる時、どんな様子になるのかしらね。

そのまま食卓に出してそばやうどんを盛ったり、台所では食器や野菜の水切りに使ったり。日本各地にある竹細工ですが、有名な産地のひとつが大分県別府市です。日本書記の昔から伝えられ、室町時代に産業化、江戸時代には別府温泉にやってくる湯治客の土産物として広がったのだそうですよ。

026 | 豆皿

豆皿のいいところは、見た目のかわいさもさることながら、小さいから冒険ができるところ。ちょっと大胆な柄や色でも豆皿なら、と手を出しやすいのです。しまっているのは、P22の小ひきだし。時々、ひきだしをすべて出して並べては、にやにや。ああ、小さいものってどうしてこんなに愛くるしいんだろ。コレクターがいるのも納得です。染めつけもいくつか持っていますが、いいなと目がいくのは無地の豆皿。ベトナムの10枚何十円なんていうのや、イギリスのマットな質感のもふくめるとけっこうな量になりました。写真の豆皿は日本のもの。右は骨董屋さんでひっそり売られていたのですが、見つけたのは小学生だった娘。「ママ、これきれい……」とわたしの元に持ってきたのです。その後、質感は違えど、その姉妹のようなものをわたしが見つけ（左）、今ではふたつ一緒のひきだしにしまっています。お茶の時間、これにチョコレートを一粒。するととたんにその空間が、やわらかな雰囲気になる。小さなパールのピアスをすると、その人がやわらかく見えるのと一緒かな。小さいけれど、その効果は絶大なのです。

豆皿は小皿のなかでもとくに小さなものを指します。お清めの塩を盛るための江戸時代の「手塩皿（てしおさら）」がルーツといわれ、のちに食卓に使われるようになりました。薬味や塩、醤油を入れたり、漬物皿にするのが一般的な使い方ですが、箸置きがわりにするという人も。丸以外のかたちもあります。

027 | ミルクピッチャー

「うつわをひとつにしぼれ」と言われたら何をえらぶ？　友人たちとそんな話で盛り上がったことがあります。応量器（修行僧が使う、入れ子になった漆のうつわ）がいいという人、長い間ずっと使っている飯碗がいいという人。それから……聞いていると、みんなよく考えているなぁと感心します。わたしも、ものを減らしていずれはストイックな暮らしをしたい。そう思うこともあるけれど、いやいやこのままでいいんじゃないの？　と思ったりもして、気持ちがいったりきたり。だって、基本のうつわにプラスして、お猪口とか豆皿とか、ちょこっとした小さなものがあるのっていいじゃない？　テーブルの上がたのしくなるじゃない？

我が家には、そんな「ふだんあまり必要としないうつわ」がたくさんありますが、そのうちのひとつがミルクピッチャー。どれもそれぞれそそぎ口や持ち手に工夫が凝らされていたりして、小さいながらも見どころがそこかしこに隠れている。持った時の感触、重み、質感、ほかのうつわと合わせた時の景色。これがあるのとないのとでは大違い。並んだ姿もいいでしょう？

コーヒー・紅茶文化の欧米の食卓で、カップ＆ソーサーやポットとともに欠かせないのがミルクピッチャー。古道具屋や蚤の市でも比較的さがしやすく、いろいろな種類が見つかるアイテムです。ちなみに大型になると「ミルクポット」という名前に。素材は磁器、洋白銀器、琺瑯、ステンレスなどさまざま。

028 | カトラリー

旅に出るとまず買うのはカトラリー。たとえばフルーツとか、チーズとかパテやテリーヌなど、買ってきたお惣菜でも、気に入りのカトラリーで食べたほうが気分がいいし盛り上がるというものです。

使いやすそうなものにくわえて、これ何に使うんだろ？　というのにも目がいってしまうものだから、台所の引き出しはカトラリーでいっぱい。タイで見つけたのは貝の小さなスプーン。ベトナムでは水牛の角のシュガースプーンを。すくう部分が10センチはあろうかという巨大なシルバーのスプーンはイギリスで。国ごとにそれぞれのカトラリー文化があり、それが当然のごとく食生活と密接に関わっているものだから興味深い。

写真のカトラリーは北欧旅行で手に入れたもの。ディナー用にしては小さいから軽い食事用なのかな。お弁当やピクニックに持っていってもよさそうです。重厚なシルバーのカトラリーもいいけれど、こんなかろやかなのもいいな、なんて思う。こんなにカトラリーに惹かれるのは、わたしがお箸の国の人だから？

上流階級はシルバーを使っていたヨーロッパの食卓。日常づかいには銀メッキの洋白銀器が長く愛用されてきましたが、ステンレスの時代になり、そのバリエーションが大きくひろがりました。写真のカトラリーはフィンランドのFiskars（フィスカース）社のもの。柄（え）は樹脂と木製があるようです。

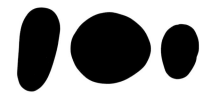

お金をかけなくてもいいものってある

029 | 紅茶缶

イギリスの人は「Fancy a cuppa ?」(cuppa は cup of tea の略)というフレーズを一日に何度となく使うとか。それはテーブルクロスにカップ＆ソーサーの、ちょっとかしこまったお茶の時間、というよりはもっとカジュアルなもの。あまり作法を気にせず、大きなマグにミルクと熱い紅茶をたくさん入れて（きっとショートブレッドなどをかじりながら）ごくごく飲むのかな。

そんな気分にぴったりなのが、アイルランド生まれのキャンベルズ・パーフェクト・ティー。いい意味でクセのない素直な味は、どんなお菓子ともよく合うし、少々雑に淹れてもちゃんとおいしくなるところがいい。容量はたっぷりの500グラム。ドドーンと大きな黄色い缶はかなりの存在感。缶にロゴがプリントされたその姿は、なんともチャーミングです。

さて、500グラム飲みきると、たのしみなのが空き缶をどう使おうかなってこと（詰め替え用の茶葉も売っていますよ）。最近のヒットは蓋に穴を開けたヒモ入れ。どうです？　かわいいし実用的。作業する時の気分が上がること間違いなしです。

紅茶といえばイングランドが思い浮かびますが、アイルランドもまた、紅茶を愛する国。このキャンベルズ・パーフェクト・ティーは、アイルランドの首都ダブリンで200年以上前に生まれました。産地はケニア。アッサム種に近い品種で、コロコロと丸まった形状が特徴です。

| # ステンレスのカップとレンゲ

スープや煮込みなど、ちょっと味をみたいな、という時に使っているのは、台北の道具屋街で見つけたステンレスのレンゲの小。味見のみならず、タレをかき混ぜる時にも重宝しています。大きい方のレンゲは、スープをすくったり、砂糖や塩を袋から移し替える時に便利。ステンレスだから、においがうつらず洗い上がりもさっぱり。「におい」って、台所仕事をする時に、とても気になるポイントですからね。

レンゲとともに売っていたのは、持ち手のついたカップ。口径がそれぞれ9センチと10センチ。高さはともに6センチのこのカップ、なんとなく買ってみたのですがこれがめっぽう使いやすい。使いかけのレンゲ入れにしてもいいし、切った薬味をちょっと入れておくのにちょうどいい。持ち手がついているからつい液体専用と思ってしまうけれど、小さいボウルと思えばいいのです。これ、台湾の料理人たちはどんなふうに使っているんだろう？と思って厨房を覗いたけれど、わからずじまい。きっとまだまだわたしの気づかない使い方があるんだろうなぁ。

台北でキッチン用品や生活雑貨を買うなら「勝立」「金興發」などのお店が有名です。道具屋街としては環河南路五金街が有名ですが、換気扇やステンレス調理台などがメインのプロの街。ちなみに台所用品は台湾では「餐具」。ステンレス製品は、1980年代以降、急速に生産と需要がのびました。

031 | クラフトペーパーとバッグ

スタイリストの必需品といっても過言ではないのが、うつわや雑貨を包むエアパッキン。そう、あの「プチプチ」です。なくては仕事にならないので、家の近辺ならここ、下町付近ならあそこという具合に、都内の資材屋さんの場所をいくつか頭に入れておき、必要とあらばすぐに買いに走れるようにしています。そこでいつもたのしみにしているのが、茶色い紙袋（ペーパーも）をチェックすること。ザ・紙袋といった風情のこちら、どれも同じに見えるかもしれませんが、じつはいろんな形があるんです。大きさはもちろん、持ち手のねじれ具合、マチの深さなどなど。持っていないものを見つけると買ってしまうのですが、問題は20枚、30枚単位というその数。かさばるんだよなぁ……と思いつつもついつい、ね。これをどう使うかというと、だれかに何かをわたす時。赤い麻ヒモを持ち手にきゅっと結べばとたんにかわいく、2枚重ねれば本など重いものでもへっちゃら。見た目に素朴で飾り気がないけれど、いろいろ使える働きもの。家にストックしておくと重宝しますよ（こんなにいらないと思うけれど）。

東京都内で資材屋さんが多く集まっているのが、伊藤さんも通う浅草橋〜蔵前エリア。紙袋、包装紙、箱、ポリ袋、透明袋、ラッピング用品、リボン、粘着テープなど、いろんな梱包資材を買うことができます。また、食品用包装資材なら、かっぱ橋道具街もおすすめです。

032 ｜ 石

「今日は海に行こうか」。晴れた日の休日、ドライブがてら訪れるのは、わたしたちだけの秘密の海岸。娘も、ああ、あそこねといった表情で「うん！」とうれしげにうなずきます。持っていくのはコットンの敷物と、お茶を入れたポットとカップ。そうそう帽子も忘れずに。海に到着すると、敷物を広げて陣地をつくり、お茶を飲んでひと休み。それから何をするかというと、泳ぐわけでもなく、青い空や波の凪ぐ様子をのんびりと眺めるのでもなくって、もっぱら石拾い。いい形の石、ないかなぁ？　とあっちをうろうろ、こっちをうろうろしては、自分好みの石を探すのです。

荒波にもまれて角の取れた石はいろんな表情をしていて、おもしろい。それぞれ収穫したものを見せ合うのもまたたのしくて……それは娘がまだ小さかった頃の懐かしい記憶なのでした。

拾ってきた石は、家のあちらこちらに置いておきしばらく眺めます。そのまま眺める専門の石もあれば、箸置きになったりペーパーウェイトになるものもあり。意図や計算なく形づくられた、それらの石は、そおっとさりげなく家に馴染んでくれるのです。

海岸や河原での石拾いや貝殻拾いのたのしみは、個人的なこととして常識的な範囲内ではＯＫというのが国土交通省の見解。けれども販売目的や大量採取、環境を損傷するなどの行為はＮＧです。自治体によっては原則禁止など、規制をしているところもありますから、市町村の土木課などにご確認を。

033 | アルミのヘラ

20代の時にはじめて訪れた、ベトナム・ホーチミン。90年代当時はベトナム料理やベトナム雑貨の第一次ブーム（それも爆発的な）。若かったわたしはそのブームにのった、というわけです。生春巻き、フォー、青いパパイヤのサラダ、チェー……今ではすっかり身近になったベトナム料理ですが、その時は口にするものすべてが新鮮。すっかりベトナム料理の虜になりました。

わたしの心をつかんだのはその味だけではありません。揚げ春巻きのタレをいれる小皿や、大らかな（雑とも言える）絵つけの皿、プラスチックのテープで編まれた色とりどりのかご、アルミ製の鍋やトレー、それからこのヘラ。

どことなくチープな印象を持つアルミの製品ですが、ことこのヘラに関しては「チープ」などという一言ですませられない品が漂っている。薄手ですくいやすく形もきれいとあって、当時ベトナム土産にするとたいそう喜ばれたものでした。その後、どうやらつくられなくなってしまったようで、それがとても残念。今は手元に残ったこの2本を大切に使っています。

ベトナムではおかずの取り分けに使われるこのヘラ。いろいろな種類があったアルミ製品ですが、今はプラスチックやステンレスになり、ベトナムでは生産されなくなりました。ホーチミンで調理器具を買うなら、Bình Tây（ビンタイ）市場へ。Chợ Lớn（チョロン）というエリアにあります。

034 | 保存袋

外貨は、国ごとに食品をいれる保存袋に分けて入れています（前は国別に瓶に入れていました）。アメリカはドル札、フランスはユーロ、スウェーデンはクローネ、女王様のお札はイギリスのポンドと、袋を見れば一目瞭然。旅した国の数だけ保存袋がある、というわけです。それらを、パスポートや変圧器、国際免許証、プリペイドカードなど旅の必需品と一緒に、棚にしまっておけば支度はらくらく。場所も取らないし、なかなかいいアイディアだなぁと悦に入っています。

旅に出る時にも保存袋が大活躍。出国したら、円をこれに入れ、旅先の外貨をお財布へ。レシートを仕分けしたり、こまごましたものを入れるのにもちょうどよし。

わたしの気に入りは、紀ノ国屋のスライドジッパーバッグ。気の利いたサイズがそろっているところと、ジッパーを右に左に移動する時のポッチの色合いがお茶目なところがいい。黄色はユーロ、青はドルね、なんて覚えておけば、さらに旅支度もスムーズにいくことでしょう。

紀ノ国屋のジッパーバッグは、SS から LL までの 5 サイズ。入っている枚数は変わりますが、どのサイズも 1 パック 220 円（税込）で販売されています。江ノ電、Suica とのコラボレーションタイプも。紀ノ国屋オンラインストアで買うことができます。

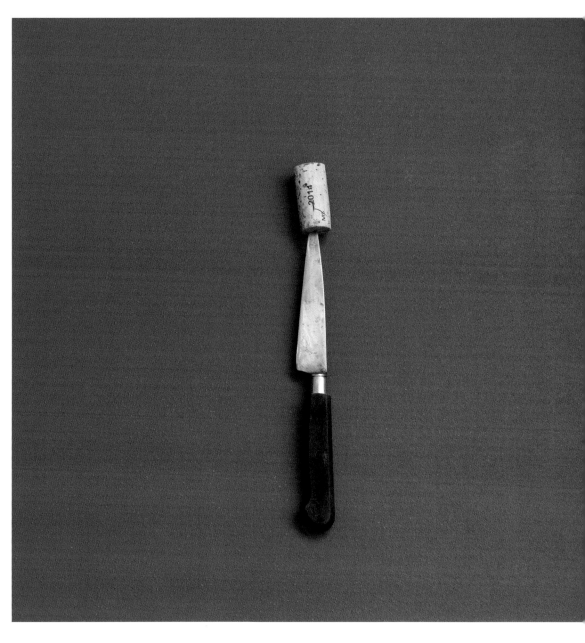

035 | ワインのコルク

パリの調理道具の専門店でペティナイフを買った時に、先っぽに
コルクをひょいっと刺して「Voila！（はい、どうぞ）」。安全だし、
コルクの再利用にもなるし、何よりフランスっぽくていいなぁと
感心。ふとレジ脇を見ると、コルクの小山が。働いている人が、
みんなで持ち寄っているのかしら？　なんて想像してしまう、
なんだかいい光景なのでした。

以来、わたしもフランス式に、ペティナイフやアイスピック、目
打ちなど、尖ったものの先端にはコルクを刺すようになりました。
これ、考えた人を拍手で讃えたいくらいいいアイディア。ふだん
だったら捨ててしまうものが、こんなに役に立つんだもの。

母はシャンパンのコルクを半分に切って、カトラリー置きにして
います。「ワインより、シャンパンがいいのよ」というその理由は、
シャンパンのコルクの方が、カトラリーのおさまり具合がいいか
らだそう。何回か使ったら捨てるようだけれど、捨てる時に気兼
ねがないのもいいみたい。コルクの使い方も人それぞれですねぇ。

ワイン栓に使われるコルクは、ブナ科の常緑高木「コルク樫」の外皮。軽く、
弾力と断熱性があり、わずかな通気性がありながら水をはじくという特性が、
ワインの栓として使われてきた理由。一説には2000年以上の歴史があるそう。
最近では樹脂、金属製のスクリューキャップや王冠なども増えています。

036 ｜ 紐

国内外問わず、旅先で見つけると必ず入るのが、荒物屋。その土地に住む人々が使う「ふだんの道具」がそろっていて興味深いし、ごちゃごちゃとした店内には掘り出しものも多くて、買い物好きの血が騒ぎます。

そこで買うのが紐の類。紙で包まれた（真ん中の）黒い紐のような、ちょっと洒落たものも時々見つかるけれど、それ以外はほとんど素朴、時には無骨。でも、だからか「働きもの」っぽく見えて、家のなかで役立ってくれそうでしょう？　日本をはじめ、フランス、台湾、アメリカ……といろいろなところで買ったけれど、同じ働きもの同士だからか、並べても統一感があるところもいいな、と思っています。

右から2番目のドイツ土産の青い紐は、なんと肉をまとめる専用。色違いで赤も持っていますが、色合いといい、結び心地といい、よくできているなぁと感心するばかり。いつかドイツを訪ねることがあったらじっさいどんなふうに売られているか見てみたいものです。

荒物屋（あらものや）は「荒物＝日常生活に使ういろんな品物」を販売するお店。日本でも商店街にかならず一軒はあり、ざる、桶、はたき、ほうき、ござ……今となっては懐かしくなった道具を販売していました。もちろん紐や縄も荒物屋の商品です。近頃はホームセンターがその役割を果たしています。

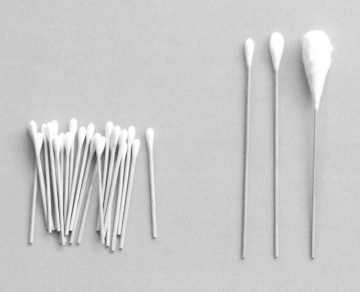

037 | 綿棒

買いおきがなくなった時に、あらためて「いつもお世話になっていたんだな……」とありがたみを感じる存在、それが綿棒。トイレットペーパーやティッシュよりも小さいからか、なんとなく気づくのが遅れてしまうのです。輪ゴムとか、爪楊枝もその類かな。時おり、近所のドラッグストアで100本入り綿棒を買うこともありますが、たいていいつも台湾の旅でまとめ買い。台湾で綿棒？そう。台湾で綿棒！　なのです。

きっかけは、ふいに入った薬局。見慣れたサイズの他に、柄の長いの、先っぽが大きいの、綿がほんの少ししかついていないものなど、さまざまな綿棒が棚にずらり。安いし、持ち手が木というのも景色がよくて、5個、6個とまとめ買いしたのでした。

台湾から戻る時、スーツケースのなかは乾物や調味料などの食材でいっぱいになりますが、その隙間には綿棒を詰めて……見た目がちょっとあれな感じになるので、税関で開けてと言われたら恥ずかしいなぁと毎度ヒヤヒヤしています。軽いしかさばらないし、何よりかわいい。台湾土産にも、おすすめです。

台湾で綿棒は「棉花棒」と書きます。日本の綿棒は枝が紙やプラスチックで、両端に綿の玉がついているものがほとんどですが、台湾の昔ながらの棉花棒は、綿の玉は片方だけ、枝は木製。パッケージも素朴で、紙とセロファンの袋に入っていることが多いそう。最近は日本と同じタイプも増えているそうです。

038 | 桜の楊枝

風が吹き荒れた翌日、いそいそと向かう先は、家の近くの桜並木。ああ、落ちてる落ちてる、桜の小枝がたくさん！　いい枝ぶりのものを拾ってはポケットに入れてをくり返し、いっぱいになったところでコーヒーを飲んでほっと一息。

家に帰って、まずは小枝を洗います。すっかり乾いたら、楊枝づくりスタート！　太いの、細いの、曲がったの。人間が100人いたら100の顔があるように、枝だって同じものはふたつとない。それぞれのいいところを見つけて、一心不乱に小刀で削る作業がたのしくて仕方がありません。

いつだったか、子どもたちのためにと、楊枝づくりの会を催した時も、最後に夢中になったのは大人たち。皮をどう残すか、枝ぶりをどんなふうに生かすかはセンスの見せどころ。よぉしと腕まくりして張り切り過ぎると、それが形に出てかっこよくないし、かといって何も考えないのもなんだか。でも、たとえどんなものができあがったとしても自分で手を動かしてつくったものって愛おしいんです。

色よく、適度に硬く、強く、木目がまっすぐで加工性が高く、磨けば艶がでることから、桜は、家具や楽器、木彫の材料などに使われてきました。樹皮からは桜皮という生薬がとれるそうです。楊枝の原料といえば香りのよい黒文字が有名ですが、自作するなら手に入りやすい桜がおすすめです。

100 x FANTASTISK

40x40 cm   15 ¾x15 ¾"

401.742.15   23141

039 | ペーパーナプキン

来客の時に使うのはリネンのナプキン。ぱりっと洗い上げ、アイロンがけした清潔なナプキンを、うつわやカトラリーと一緒にテーブルにセッティングすると、お客さまを迎える気持ちも高まるというものです。その様子を見た方から「わー、すてき」などと言われるとまたうれしい。でもじつは、使うのをためらわれる方が多いというのも事実。トマトソースがついた口だって、どうぞ遠慮なくぬぐってくださいな、と思っているのですが、これがなかなか……そこで気持ちを切り替えて、カジュアルな集まりの時にはペーパーナプキンにすることにしました。いつもストックしているのはイケアのもの。容量たっぷり、厚手で使い心地もマル。何より買いやすい値段というのがうれしい。色や柄など、いろいろ揃っていますが、わたしが買うのは黒か白の無地。どちらもどんなうつわとも合う万能選手です。

このペーパーナプキンを使うようになってからは、お客さまも気兼ねいらずでわたしもうれしい。せっかくなら、リラックスした時間を過ごしてほしいですものね。

拡げると一辺が25センチの大きさのものが多い紙ナプキンですが、イケアでは30センチ、33センチ、38センチ、40センチなど、大きめのサイズを展開。布のような質感のものや、紙を重ねて吸水性を高めたもの、北欧らしいきれいな単色のものや、テーブルにとけこむデザインのものなど、多彩です。

040 | ワインの木箱

ずっと前から我が家にあるのが、このワインの木箱。ひとり暮らしをしていた頃にはもう持っていたので、かれこれ四半世紀以上ともに暮らしていることになります。じつはこれ、ワインをたくさん買った時にワイン屋さんがおまけでくれたもの。その店では今でも時々、ワイン箱が山になって売られている時がありますが、そうか、売る側としてはこれがたまっていくのもたいへんなんだろうなぁ。捨てる神あれば拾う神あり、というところでしょうか。その間、オープン棚に置いて、引き出し代わりにしたり、パントリーの床に置いたりと、置く場所はいろいろに変化してきましたが、入れるものもその時々でいろいろ。たまねぎや、じゃがいもなどの根菜、リネン、その後工具入れを経て、今はざるや平たいかご……という具合です。

つい先日、立ち寄った台所道具の専門店では下に４つキャスターをつけてオープン棚の一番下に置いていました。使う時はころころと引き出せば、床に傷がつくこともなくラクラク。ためしに、木箱ひとつ分だけつけてみようかな、と思っているところ。

コルク栓が乾燥しないよう、シャトーやドメーヌの名前が大きく刻印された木箱に入れられて、寝かせて運ばれるワイン。最近では段ボールも使われるとはいうものの、ブルゴーニュなどのワインの産地では、高級なワインに、今も使われています。一般的なサイズなら、1箱に12本のワインが入ります。

041 | れんげ

P224で紹介している鋼正堂（こうせいどう）のうつわ。できあがるまでには、陶芸家の内田鋼一さんが暮らす四日市へ何度となく足を運び、打ち合わせを重ねました。その四日市の産業として知られるのが「四日市萬古焼」。土鍋や急須など、おそらくそれと認識していなくても、一度は目にしたことがある、わたしたちの暮らしにとても身近な焼きものです。ある時、内田さんに連れて行ってもらったのが、萬古焼の販売や展示会、陶芸教室などが開かれる、ばんこの里会館というところ。おお、あるある、お馴染みの土鍋に急須。それに混じって「これも萬古焼なんだ?!」なんていううつわや耐熱皿。ずらり並ぶ商品の数に圧倒されつつ、目に飛び込んできたのがワゴンセールされていたこのれんげ。お値段なんとひとつ100円。やさしげな白、マットな質感。持ってみるとちょうどよい角度。帰ってからさっそく使ってみると口当たりもいいのです。大きさとか、口当たりとか、れんげってちょうどいいのがなかなかないものだけれど、これは二重マルどころか三重マル。次回また買い足したいけれどないかなぁ。ありますように！

萬古焼（ばんこやき）は、三重県四日市市の代表的な地場産業で、陶器と磁器の中間の性質をもつ「半磁器」。市内各地に窯があり、四日市萬古焼は文政12年（1829年）に窯が開かれました。明治時代にはコーヒーカップやお皿など、洋食器をつくり、長く海外への輸出もとても盛んに行なわれました。

思わずにっこりしちゃうもの

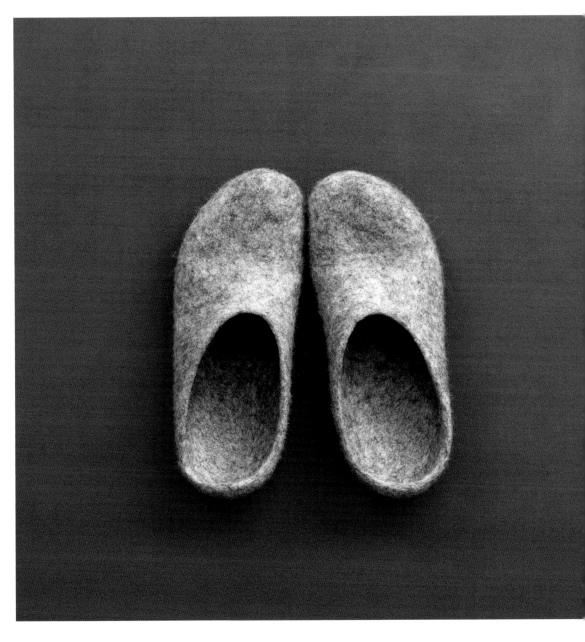

042 | ルームシューズ

もうずいぶん前になりますが、味噌ボヘミアンでした。ちょっとしょっぱい、もう少しコクがほしい。ああでもない、こうでもないと買っては試し、を続けるものの、自分にしっくりくる味噌が見つからないのです（その後、無事見つかりました）。じつはわたし、ルームシューズボヘミアンでもありまして、いいな、かわいいなと思って履いてみるものの、なかなか「これだ！」と思うものに巡り会えずにいました。

ところがこの前の秋、きっと今年もだめだな……と諦めかけた時に見つけたのが、magicfelt のルームシューズ。家に帰って履いてみると、おお、なんだか足にフィットする。軽い。歩く時にペタペタ音がしない。温かいけれど通気性もよく、履いていて快適、といいことずくめ。とうとう放浪生活に終止符を打ったのでした。わたしはグレー、娘は薄茶色。羊毛100パーセントのモフモフ具合は、ちょっとぬいぐるみみたいでかわいい。ただいまーと帰った時に、まず目に入るのは、そのふたつがちょこんと玄関に並んだ姿。「おかえり」と出迎えてくれているようで、うれしいんです。

magicfelt（マジックフェルト）はオーストリアのチロル地方、イムストで生まれたルームシューズ。素材は最高級のメリノウール、靴底は革を使ったタイプと、コルクを使ったタイプがあります。軽く、あたたかく、立体構造になっていて、履いていくうちに自分の足の形になじんでいくのが特徴です。

043 花柄エプロン

「もう小花柄は似合わない」。数年前のある時、そう思ってから
きっぱり着るのをやめました。小花柄のワンピースにブラウス、
キャミソール。あんなに好きだったのになぁとは思うけれど、好
きと似合うは違うもの。けれども「そんなことないわよ、これな
んかどう？」とすすめられたのが、れいこさんとみかこさん、エ
プロン商会のおふたりがつくるリバティプリントのエプロンです。
どれどれ、とつけてみるととってもかろやか。黒地がきりっとひ
きしまるのか、あまいかんじもなくって、よし。これなら着られ
そう。そうか「小花柄はダメ！」と決めつけなくてもいいんだ。
似合うものだって探せばまだあると思うと、ちょっとうれしい。
エプロンをつけなくなって何年も経ちますが、その日からが大人
のエプロン元年。…… とはいっても、ずいぶん遠ざかっていた
ので、つけずに料理、気がついた時はできあがっていたりして。
でもまあそれもいいのかな。今は、台所にかけておき「乙女心を
忘れずに」と見るたび、自分を戒めています。
放っておくとどんどんそこから遠ざかってしまうから。

エプロン商会は、デザイン事務所を主宰、喫茶店も経営する滝本玲子さん、フ
ラワーデザイナーの市村美佳子さんが立ち上げた大人の女性のためのエプロン
のブランド。「着けると、俄然やる気がアップする」「一瞬で森のパン屋さんに
も、エレガントなマダムにもなれてしまう」エプロンをつくっています。

044 | 本

季節ごと、いや季節と季節の間も。それから天気。空気のかわき具合、におい。その時その時の気分で、少しずつ部屋の模様替えをしています。陶製のオブジェや、リトグラフなど、少しずつ買い集めた小さなアートを飾ることもありますが、よくするのが好きな装丁の本を飾ること。肩肘張らず、今すぐできる気分転換ではないかなぁ。

写真は、オランダの作家、ディック・ブルーナ（そう、あのうさこちゃんの作者として有名な）がグラフィック・デザイナーだった頃に装丁したペーパーバック。ブルーナさんの住むユトレヒトの古書店をまわっても見つけられなかったものが、なぜかその後、縁が縁を呼び、わたしの手元にやってきました。情報をおさえたむだのないデザインは、とてもグラフィカル。背表紙を見せるように並べたり（時おり並べ替えたりして）、表紙をこちら側に向けたりして、変化をたのしんでいます。

ディック・ブルーナ（Dick Bruna 1927-2017）はオランダのグラフィック・デザイナーであり、絵本作家。うさこちゃんことミッフィー（オランダではナインチェ・プラウス）の生みの親として知られています。地元であるユトレヒト中央博物館には、ブルーナさんのアトリエが移築されています。

045 | エッグカートン

かねてから冷蔵庫の卵おきの下にたまるよごれが気になっていた
わたし。でも数年前に、このエッグカートンを見つけた時は、ほっ
としたものです。ああこれで、拭いたり洗ったりしなくてもいん
だ！ って。デザインは深澤直人さんと聞いて、なるほどと納得。
壁掛け式のCDプレーヤーやまあるい形が印象的な加湿器など、
いいなと思って買ってみると、深澤デザインのことが多いもの
ですから（残念ながらエッグカートンは現在廃番のようです）。
常日頃から、冷蔵庫にはあまり食材をおかず、すっきり、を心が
けるようにしています。それは食材すべてに目を行き届かせたい
から、という理由もあるのだけれど、冷蔵庫の棚にこのエッグカ
ートンがぽつりとおさまっている風景を見るのが好きだから。扉
を開けるたびに思わずにっこりしてしまうのです。
マットな黒のワイヤーに合うのは、茶色い卵。カートンに合わせ
て、いつも6個入りの卵を買うようにしています。最後の1個に
なったら、「卵を買うこと」と心にメモ。一目瞭然のカートンは
買いすぎも防いでくれているのです。

「±0」（プラスマイナスゼロ）は、2003年に生まれた日本の家電・雑貨ブラ
ンド。デザインディレクターは深澤直人さんです。ワイヤーシリーズのライン
ナップには、このエッグカートンのほか、トーストスタンド、丸型と角型のバス
ケット、エッグスタンドもありました。

046 ｜ はちみつ

旅先で必ず買うのは、歯磨き粉。最近、どこの国でも見つかる、ナチュラル志向の店で探すと、気の利いたものが見つかりやすいし、そんなに失敗もありません。どれもいわゆる「ジャケ買い」で、この前はヘビ柄チューブのきゅうりとミント、香菜味なんてのも見つけて迷わずお土産にしましたが、どうだったんだろ。

それともうひとつ必ず買うもの、それがはちみつです。歯磨き粉と同じで、ナチュラルなスーパーではもちろん、市などでも手に入る。味もいろいろ、見た目もいろいろ。そして魅力的なパッケージが多いのもいいのです。ハワイではクマちゃん型の容器に入ったお茶目なはちみつにクラクラし、日本の地方ではレトロなパッケージに目を奪われ（その場合、中身はレンゲが多い）……パリでよく買うのはこの蜂柄。ヘビ柄歯磨き粉とどこか似通う、「ちっともかわいくないかんじ」が気に入っています。食べ終わったら、すっかりきれいに洗って、こまごましたものを入れていますが、いつまでもふんわりと甘いにおいがするところもまたよし。なくなる頃にまたパリに行かないとね。

Miel du Gâtinais（ガティネのはちみつ）は、淡い色となめらかな口どけ、強い甘味で中世から高い評価を受け、現在のパリでもたいへん多く消費されています。料理人にも人気が高く、鴨やアヒルの料理と相性がよいそう。パリの高級百貨店ボンマルシェの食品館で 1 kg 入りが €22.30 です。

047 | オットマン

リビングに置いているのは、エリザベスチェアと呼ばれる水色の
ふたりがけソファと、ウェグナーのグレーのひとりがけソファ。
どちらも気に入ってはいるのですが、どうもだらだらするには向
かないデザイン。だったらオットマンを買えばいいのでは？　と
探したのですが、ふたつのソファに合うものはなかなか見つから
ないのです。家具をえらぶ時にあせりは禁物。気長に出会いを待
とう……そう思った矢先にイケアで目に入ったのがモコモコし
た羊の敷物でした。ああ、これいい色だなぁ。ほしいけど、ど
こに敷くんだろ？　そこでピンときたのです。オットマンの座面
にしたらどうかなって。

すぐに知り合いの家具屋の店主に頼み込み、張り替えてもらうこ
とにしました。「ちょっと厚手だからきれいにはまらないかも」
と心配そうでしたが、結果は大成功。水色にもグレーにも合うも
のに仕上がったのでした。

足を置けばあたたかく、眺めていればフカフカとぬいぐるみみた
いでかわいい。ちょっと冒険でしたがつくってよかったなぁ。

オットマン（ottoman）は足（ふくらはぎ）をのせるための専用の椅子のこと。
フットレストとも呼ばれ、リラックス用のラウンジチェアやソファと組み合わ
せて使います。座面の硬いものならスツール（ひとり用の腰掛け）としても使
用可能。トレーをのせてサイドテーブルとしても。

048 | ミーシャのおきもの

この子の名前はミーシャ。1980年、モスクワで行われたオリンピックのマスコットのクマです。当時、わたしは10歳。オリンピックの記憶はまったくないけれど、ミーシャはしっかり記憶に焼きついています。ちょっとくねっと腰を曲げ、小首をかしげたその姿の愛らしいことったら！　歴代オリンピックマスコットのなかでかわいさNo.1と思うのはわたしだけではないはずです。この陶器製のミーシャ、見つけるたびに少しずつ買っているのですが、最初の出会いはロシア……ではなく、フィンランドの蚤の市で。ミーシャだけを売るおじさんになぜにここでミーシャ？と尋ねたところ「コレクターがたくさんいるからね」とのこと。同じポーズですが大きい子もいれば小さい子もいる。色合いもいろいろで、なるほどこれは蒐集したくなるわ、と納得したのでした。今では10匹ほどになった我が家のミーシャ。その表情を見るたびに、思わずにっこり。忙しくて気持ちがささくれだったり、やさぐれかけたりするたびに、いかんいかんミーシャのように口角上げていこう！　と思い直すのです。

ミーシャ（Misha／Миша）は、1977年に絵本作家ヴィクトル・チジコフ（Victor Chizhikov 1935-）によって生み出されました。にっこりほほえんで、後ろ脚で立つ姿がトレードマーク。モスクワ五輪では、8メートルのバルーンも製作されました。

なにしろ琺瑯が好きなもので

049 | バット

料理の撮影のためのスタイリングをたくさんしていた頃、小道具として持っていた道具のひとつにバットがあります。まっ白、生成色のもの、ステンレス……いったい何に？　と思うでしょう。答えは、プロセス写真を撮る時に使う、でした。そう、スタイリストは料理のできあがりのうつわを用意するだけではないのです。菜箸やキッチンクロスもいろんな種類を持っていたなぁ。今となっては懐かしい、料理スタイリスト時代の思い出です。

さてその後のバットの行方がどうなったかというと、この３つを残して、友人たちに持って行ってもらいました。ふつうに料理をする分には、そんなにあれもこれもといらないのです。

まっ白や生成りは残さずに、なぜこの白地にブルーの縁のバットが残ったか？　それは使っていて、かわいげがあるからです。立ち上がりや縁の分量、ブルーの入り具合がいい。道具というより、うつわに近い感覚と言えばいいでしょうか。時々、きれいな色をしたサラダをつくっている時など、うつわに移し替えず、そのまま出してしまうほど。３つ重なった様子もいいでしょう？

この琺瑯のバットは、英国のFALCON（ファルコン）社製。ここは1920年創業の琺瑯メーカーで、その代表的なアイテムが青い縁のシリーズです。カップ、皿、ボウルなどいろいろなアイテムを展開。角丸がやさしい印象のこのバットは「PIE」（パイ）シリーズで、大小５枚が基本セットになっています。

050 | 北欧のケトル

朝起きるとまず、ケトルを火にかけます。それからベランダに
出て、外の空気を思い切り吸い込みます。今日はからりとしてい
て気持ちいいから午前中は散歩をしようかなとか、遠くの空模様
があやしいから洗濯はやめておこうとか。その日の過ごし方をぼ
んやりと考えるのです。そのうち、ケトルからシュンシュンとい
う音が聞こえてきたら、よしっ！　とスウィッチを切り替える。
さあ、１日のはじまりです。

鉄瓶やステンレスのやかんもいいけれど、ここのところ出番が多
いのが北欧のこれ。ミルク味のチョコレートのようなこのケトル
が台所にあると、その場所がちょっとなごむ。蓋を閉めた時に、
カランと響く、琺瑯独特の音も好きです。家に１日いられる日は、
何度となくお湯を沸かします。お茶やコーヒーもいいけれど、最
近は白湯を飲むことが多いかな。大ぶりのマグカップ、白磁の蕎
麦猪口、まあるい粉引のうつわ。その日によってえらぶうつわは
いろいろだけれど、ケトルはいつもこれ。今日も台所でシュン
シュン、機嫌よく音を立てています。

北欧ヴィンテージの琺瑯製品は、コレクターがいるほどの人気アイテム。フィ
ンランドの Finel（フィネル）やデンマークの DANSK（ダンスク）などのメー
カーものだけでなく、ノーブランドだけれどデザインのすぐれたものがたくさ
ん。買う時は、欠けがひどくないか、内側はきれいかをチェックして。

051 | ランプシェード

日照時間が短く、冬の長い北欧では部屋にいる時間が必然的に多くなるから、シンプルで美しいデザインのインテリアが好まれる……というのは、北欧デザインが語られる時によく耳にするおはなし。それをはじめて聞いた時は、なるほどなぁと思ったものです。デザインされすぎているものって、最初は新鮮にうつるけれど、結局飽きてしまうものね。わたしも北欧の人たちのその考えは大賛成。だからなのか、椅子やテーブルには北欧製のものが多いのですが、この琺瑯のシェードもそのひとつ。かれこれ 10 年以上、ダイニングテーブルの上が定位置ですが、飽きるどころか、見るたびに「いいなぁ」と惚れ惚れしています。

サイズがテーブルに見合っていること、横から見る姿が美しいことなど、好きな理由はいろいろありますが、なんといっても一番はその質感。琺瑯でつくられたものって、工業製品でも独特の温かさがあるように感じるのはわたしだけでしょうか。光を灯せばほんのり温かく、消してもどこか親しみが残る。その頃合いが絶妙なところがいいなぁと思っているのです。

ヴィンテージの照明器具は、海外で購入しても、そのまま日本で使えないものがほとんど。DIY ではなく、きちんと電気屋さんで配線やソケットをととのえてもらう必要があります。また、電球を換えると、光の印象もずいぶん変わります。伊藤さんは昔ながらの「白熱灯」が好みだそうです。

052 | 工具入れ

P184の鋳物の魚を売っていたフィンランドのおじさんの店で買ったのが、この琺瑯のいれものです。おそらく軍で使っていたものだと思うのですが、一目見た時、ピンときたんです。「工具入れにぴったりだな」って。

そこで思い出したのが、これも北欧のどこかの国で使われていた、軍ものの食器セット。プラスチックの平皿とスープ皿、マグカップの3点にステンレスのナイフ、フォーク、スプーンつき。余分なデザインは一切なし。無駄をそぎ落とすだけ落とした潔さ。それを見た時、「軍ものから学ぶことって多いなぁ」と思ったものですが、この工具入れにしたいれものもまた、デザインの上で感心することが多い。手のあたりが良いように、すべての角に丸みを持たせていたり、蒸れないように（？）通気口がついていたり、しなやかな革の持ち手がついていたり。

フィンランドから日本の我が家にやってきて、まさか工具入れになるとは、つくった人も、使っていた人も思いもよらないにちがいない。ものの巡りってなんだか不思議、そして縁だなぁと思う。

ヘルシンキにある、たくさんのヴィンテージショップ。有名なデザイナーの手がけた名作家具や雑貨を置く店もあれば、アラビアやイッタラのような人気の高いうつわを得意とする店も。それに比べると軍ものは目立ちにくい存在ですが、フィンランドの国民性か、きれいな状態のものが多いようですよ。

053 | 洗面器

娘が小さい頃、友だちの家にはあるのに、うちにはないものに憧れた時期がありました。「お台所にあるコードがついたもの」は炊飯器。「トイレを流すと青いのが出てくる」のは便器に汚れがつきづらくなるあれ。子どもっておもしろいものですねぇ。炊飯器は土鍋を使っていたから必要ないし、トイレ掃除はしょっちゅうするから「青いあれ」もいらない。そんな母親を見ていたからか、しだいに羨ましがらなくなりました。うちはそんな感じなんだなと、あきらめたのでしょうか。

それから当時もうひとつほしがったもの、それは洗面器。ほうっておくと裏側がヌメッとしやしないかと思って、買わずにいたのですが、ある時見つけたのがこれ。白くてすっきりしていて美しい。こんな洗面器あったのねぇ。歯磨き用のマグカップや石鹸おきなど、もともとバスルームには琺瑯のものを置いていたことも手伝って、晴れて我が家に仲間入り。さてこの洗面器、使おうと思うと容量が多すぎるのか重い。結局、あまり出番はなく今はバスルームのオブジェになっています……。

世界中で使われている琺瑯製品ですが、歴史をひもとくと、紀元前1425年頃と推定されるギリシャ・ミコノス島の遺跡から発掘されているそう。日本にやってきたのは仏具として飛鳥時代だと言われています。日本で琺瑯製品がつくられはじめたのは慶應年間。萬古焼の釉薬を使ったのが最初だと言われています。

054 | チェコのケトル

海外の蚤の市は規模の大きなものも多くて、宝探しのようでたのしいのですが、店主の御眼鏡にかなったものがセレクトされた店やウェブショップでの買い物も好き。これらのお店は、程度がとてもよくて安心。日本にいながらにしていいものと出会うことができるのは、ひとえにバイヤーさんたちのおかげです。

この琺瑯のいれものは、「ほぼ日」の「生活のたのしみ展」に出店していたチェコの古道具の店での戦利品。「琺瑯」で「黒」。好きなものがふたつそろったこれを見た瞬間、わたし、買います！と口をついて出ていました。用途を尋ねるとどうやら湯わかしらしいのですが、ふだんはへらやお菓子の道具などを入れています。買いつけ先のプラハの店にはほかに銀器や磁器のうつわなどの生活用品のほか、楽器や双眼鏡も売っていたとか！　店主からそんな旅の様子を聞くのもまたたのしい。この店ではほかに、ホテルで使っていたという銀のプレートを2枚買いました。店主はP120やP184にも通じる、ごついおじさん。ほらやっぱりわたしはおじさんのセレクトが好きなんだ。

この琺瑯の蓋つきケトルは、プラハ市内の賑やかな場所にある「BAZAR」（バザル＝古道具屋、あるいはがらくた屋）から仕入れたもので、チェコでは「やかん」として使われていたものだそうです。そのお店、昔は質屋だったとか。今も「純金でお金を貸します」という看板が残っているそうですよ。

　保存容器

野田琺瑯の会長の奥さま、善子さんの冷蔵庫を見せていただいたことがあります。なかには、常備菜をはじめ、すぐに調理に取りかかれるよう使いやすい大きさに切った野菜や、下ゆでした青菜などが入ったこの琺瑯のホワイトシリーズがずらり。「クリーン＆シンプル」をモットーにつくったというホワイトシリーズですが、冷蔵庫のなかがまさにそれ。善子さんって主婦の鏡だわと感じ入らずにはいられない光景なのでした。

熱伝導がよいので調理にも使え、保存容器として冷蔵庫はもちろん、冷凍庫にいれることもできる。酸や塩分に強いのでピクルスや漬物にも適していて……と台所の道具として万能な素材、琺瑯。ホワイトシリーズと出会ってからは、すっかりわたしもこれ一辺倒。おかげで冷蔵庫のなかの景色がよくなりました。善子さんには遠く及ばないけれど。

ひじきの煮物、青菜のオイル煮、豆腐半丁、濡れたキッチンペーパーで包んだハーブいろいろ、それから味噌ももちろんホワイトシリーズのなか。これからも末永くおつきあいください。

野田琺瑯は、鉄の鋼板でつくった土台にガラス質の釉薬をほどこし高温で焼き上げる琺瑯を、国内で唯一、自社一貫生産している東京のメーカーです。「White Series」は2003年の発売以来、それまで柄物の多かった家庭用琺瑯製品のイメージを刷新。現在も広く愛されています。

Clean up↗ではなく Keep→です
（ときどきもようがえ）

056 ｜ たわし

P132 の白いスポンジのとなりに置いているのは、シュロの木の皮からつくられるたわし。耐水性、耐摩耗性、さらには耐腐食性にすぐれた昔ながらの暮らしの道具です。わたしがいつも買うのは、京都の三条大橋のたもとに店をかまえる内藤商店。「あの三条の橋の、ほうきとか並んでる……」などと言うと、京都の人ならたいていわかる老舗。なんと創業は 1818 年なんですって。店内にずらりと並ぶのは、ほうきやブラシ、それからたわし。ことに目を引くのは、見慣れた大きさのものから、何を洗うんだろ？という大きなものまで、大小さまざまなサイズのたわしです。ここでわたしはふだんづかいのものを毎回少しずつ買って帰るのです。ストックしているものを並べると、ごらんの通り、なんだか愛らしい。だれかが「ハリネズミみたい」なんて言っていたけれど、それもそうだわとうなずけます。

買いものをしたら、すぐ隣の、おかきの店「船はしや」へ行くこともお忘れなく。たわしとおかきはわたしの場合、セットになっているのです。

7代目おかみが切り盛りする、「桔梗利（ききょうり）内藤商店」。たわしは、ヤシ科の常緑高木である棕櫚（しゅろ）を原料にしており、洗い物用のほか、体を洗うものも販売されています。お隣の「本家船はしや」は、もともと宇治で茶業を営んでいたお店。1905 年に現在の場所に移りました。

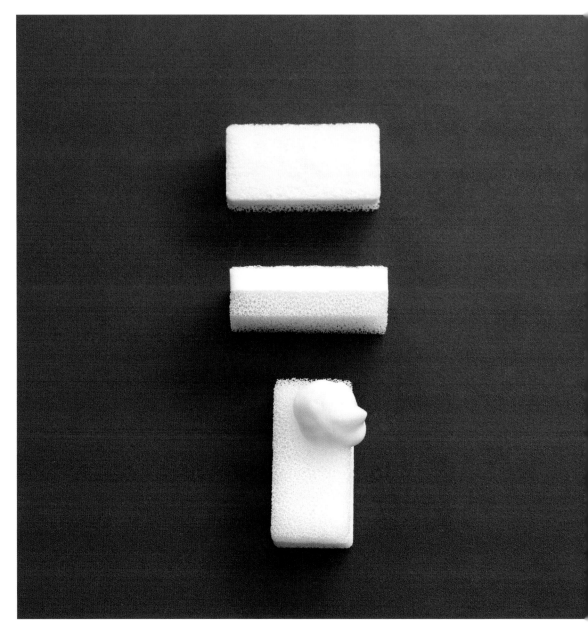

057 | スポンジ

もうずいぶん前のことになりますが、理想のゴミ箱を探した時期がありました。キッチンに置くのならば、白くてすっきりしたデザインがいい。ゴミを入れるのなら、汚れが目立つ方がいいんじゃないか？　そう思ったのです。ところが当時はその反対で、黒やグレーのごちゃっとした模様のプラスチックのゴミ箱が全盛。汚れが目立つからいいと思う人もいれば、汚れが目立たないからいいと思う人もいる。考えは人それぞれ、なかなか興味深いなぁと思った事柄でした。

さて、そんなわたしがえらぶ食器洗い用のスポンジはまっ白です。だって台所道具や食器など、口に入れるものを洗うものならいつも清潔でいたいものね。泡立ちよし。姿よし。使い心地もちろんよし。何よりいいのは、ああちょっとくたっとしてきたなぁとか、色がくすんできたなぁとかが一目瞭然。取り替え時がはっきりわかるところ。時々、他のスポンジどうなんだろ？　と使ってみることもあるけれど、帰るのはいつもこれ。台所にまっ白スポンジがある風景はなかなかいいものです。

無印良品の「ウレタンフォーム三層スポンジ」は、3個入り 299 円。お弁当箱の角や、グラスのすみまで洗えるようにと、すこし長めの長方形（6 × 12 センチ）になっています。こびりつき洗い用のナイロン、泡もちのよい細かい目のウレタン、水切れのよい大きな目のウレタンの三層構造です。

058 | ウェス

「使い終わったぞうきんが干してある様子が美しくない」という理由から、我が家ではぞうきん廃止。もう20年以上ぞうきんを使っていません。ではどうしているかというと、お役御免になったシーツやキッチンクロスをじょきじょき切って、ウェスにしています。切ったそばから、ポロポロほつれてきてしまうのがいやなので、端っこは中に折り込むようにしてたたみ、瓶のなかに入れておきます。こうしておけば見た目にもきれいです。

こんなふうに書くとさぞかしマメな……と思う方もいるでしょうが、布を切ってたたむのは娘の仕事。もやしのひげ取りや、山椒の実の茎取りなど、細かいことをするのが苦手（めんどくさいから）なわたしは、逆に細かい作業が好き、という娘に「お手伝いよろしく」と言ってやってもらうのです。

台所でお湯を沸かす間や、オーブンの焼き上がりを待つ、ちょっとした時間、ガス台やタイルをふきふき。時々、無意識に手が動いている時があって、自分でもちょっとこわいけれど、いいんです。ツルツル、ピカピカの方が気持ちいいんだから。

ウェスは「waste」（ウェイスト＝ぼろ、くず）から来た和製英語。英語ではwaste cloth といいます。リサイクル生地のほか、アパレル業界が処分する未使用の生地をつかったものや、最初からウェス用につくられたものなども市場に出回っています。ガラス瓶は、果実酒用に販売されているものです。

059 | ほこりとり

しょっちゅう掃除をしていると思われているけれど、掃除機は、週に2度かけるかかけないか。その代わり毎日しているのが、部屋のすみっこの拭き掃除と、ほこりを払うこと。左は山羊の毛のブラシ。さわってみるとふわふわと柔らかくて気持ちがいい。持ち手の木も手のなじみがよく、使っていてうれしい道具です。真ん中のは本用のはたき。写真ではわかりづらいのですが、少しだけついている段差に本のはじっこを沿わせてほこりを取るらしい（でも細かいことはあまり考えず、ふつうに払っています）。

一番よく使うのが、スウェーデンのダチョウ農場でつくられたダチョウの羽根のはたき。その触り心地は夢のようにふわっふわ。そのあまりのふわふわさに、お酒の瓶やおきものなどのほこりを払っても、ビクともしないすぐれもの。どれも見た目に美しいところが我が家のほこりとりの自慢できるところ。いつの頃からか、掃除道具だからこそ美しいものをそろえたい。そんなふうに思うようになりました。隠しておきたくなるようなものではなくて、出して眺めておきたいと思える、そんなものを。

羽根はたきの材料の最高峰と言われるダチョウ（オーストリッチ）の胸の羽毛。広がった状態ではボリュームがありますが、コシが強く丈夫なので、細い隙間にも入って、効率的にほこりをとってくれます。30センチほどの短いものから、120センチほどの長いものまで、いろいろな長さのものがあります。

060 ｜ ほうき

このほうきは信州でつくられる「松本ぼうき」と呼ばれるもの。
その歴史はとても古く、慶應年間までさかのぼるとか。しなやかで耐久性にすぐれたホウキモロコシを栽培する専業農家は今ではほとんどなく、国産品はとても貴重なものになっているそう。

収穫したホウキモロコシを陰干しし、その後、束にしたら、糸を使って互い違いにくぐらせてまた束ねて……じっさいつくっているところを見せていただきましたが、気の遠くなるような手の込んだ作業。ひとつのほうきができあがるまでには、職人さんの細やかな気づかいがそこかしこにちりばめられている。1日、どんなに頑張っても5本くらいしかできないとうかがった時「これはずっと大切にするぞ」と思ったものです。

さてこのほうき、よくよく見ると先がななめになっている。それは短い方が手前にくるように掃くと、掃きやすいからなんですって！　今ではあまり見かけなくなった座敷ぼうきですが、電気いらずで手軽に掃除ができる。ひとつ問題は、美しすぎて使うのを惜しんじゃうってこと。

松本市芳川野溝地区を中心につくられる松本ぼうき。農家の副業として最盛期には120以上の農家でつくられていましたが、電気掃除機が普及した今は、文化継承の意味でつくられているそうです。この、4つの束でつくられる「4つ玉ぼうき」が本来のすがた。すこしコンパクトな「3つ玉」もあるそうです。

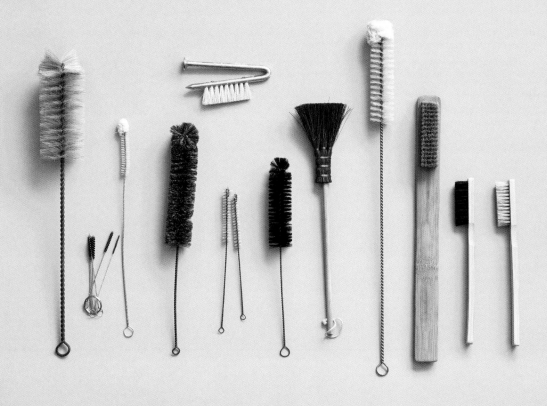

061 | ブラシ

デッキブラシの先っぽだけを6個、縦に並べて額装している、という知人がいます。スペインの1ユーロショップで色合いに惹かれて買ったそう。その時「柄はいらない」とお店の人に伝えたら、不思議そうな顔をされたと言っていましたがそりゃそうだ。まさかその後、額装されるなんて思いも寄らないだろうな、その人。赤、緑、茶、鮮やかなブルー。まっすぐなの、扇状に開いたもの。デッキブラシってこんなにいろんな種類があるんだ！ そしてそれを額装しちゃうなんて（しかも赤のフレームで）。同じブラシ好きとしては、やられた！ の一言に尽きます。

それでは……と我が家のブラシを並べてみると、こんなかんじ。どれも愛嬌あっていいでしょう？ 先端にやわらかいふわふわがついているもの（右から4番目と左から3番目）、小さなブラシが5本セットになったもの、曲げた釘をブラシの柄にしているものなど、あらためて眺めてみると、ブラシっていろんな種類があるのねぇと感心しちゃう。いつでも眺めていられるように、いっそのことわたしも額装しようかしら。

写真中央上部の、曲げた釘のブラシは、伊藤さんの友人がベルリンで購入してきてくれたもの。「DIM」という障がい者のワークショップでつくられており、文具、生活雑貨、子ども用品などを製作・販売しています。にぎやかなクロイツベルク地区のオラニエン通りに、ショップ＆カフェがあるそうです。

062 | ペンキ

はじめてペンキ塗りをしたのは、ひとり暮らしをはじめた20代前半の頃。実家で使っていた木のベッドをまっ白に塗り変えたのですが、これが驚くばかりの変わりよう。と同時に白いベッドリネンを一式そろえ、自分だけの気に入りの空間をつくりました。お金はなかったけれど、それはそれなりに工夫のしどころがあって、たのしかったなぁ。

その後、何年（いや何十年）も経って、インテリアに色を足すのがさらにたのしくなったのは、ひとえにFARROW&BALLのペンキのおかげ。ある時は深みのあるブルーに、またある時はちょっとグレーがかった空色に、なんて時々、壁の色を替えて模様替えをしています。伸びがよく、ムラが出づらいのできれいに塗れる。さらにうれしいのは、微妙で深みのある色合いがたくさんそろっていること。ここのペンキを使うと、ちょっぴり外国の部屋のような空気になるのはイギリス生まれだから？　もしも「壁の塗り替え、ちょっと勇気がいるなぁ」と思う方は小さな家具からためしてみて。部屋がいつもと違う顔になりますよ。

1930年に英国で創業したFARROW&BALL（ファローアンドボール）。身体や環境に有害なホルムアルデヒド、トルエン、キシレンを含まず、厳しいEU基準を最高ランクでクリア。においも残りません。基本の132色は、英国の歴史的建造物の修復でも使用されるほどの美しさです。

どうやら黒に目がいくみたい

063 | パラティッシ

ARABIA のうつわの持つ風合いが好きで、無地のカップ＆ソーサーやプレートなどをひとそろい持っています。朝食やひとりの昼ごはんに登場することが多いのですが、強くて丈夫、気兼ねなく使えるふだんのうつわとして出番が多い。また、作家のうつわや、古い一点もののうつわと合わせると、テーブルの上の温度や湿度のようなものがいい感じに抑えられる。プロダクトならではの持ち味、といったところかな。何年か使ううちに気になり始めたのが、パンジーやぶどうが描かれたパラティッシというシリーズ。植物のモチーフに黄色やブルーで色づけされたものもあるのですが、わたしがいいなと思うのは白地に黒。柄物のうつわはその当時ひとつも持っていなかったので、どうかなと思ったのですが、いざ使い始めると、これがなかなかいいんです。食卓がちょっとにぎやかになって。娘は独立する時にこれを持っていくんだって。理由を尋ねると「使いやすいし、小さい頃から家にあるから」とのこと。クスクスや羊のステーキなどの好物が盛ってある姿と一緒に、すっかり思い出として焼きついているみたいです。

ARABIA（アラビア）は 1873 年に生まれたフィンランドの陶磁器ブランド。「楽園」を意味するパラティッシは、ビルガー・カイピアイネン（Birger Kaipiainen 1915-1988）のデザインで、1969 年からつくられています。青と黄色の彩色で有名ですが、この白地に黒は、1972 年に生まれました。

064 | シリコーンツール

「シリコーンのヘラ、ほとんど毎日使っています」。そう言うとたいがいの人は「？？？」と思うみたい。お菓子づくりをよくするの？　と聞かれることもしばしば。

いえいえそうではないんです。料理し終わった鍋や木ベラ、食べ終わった食器などについた汁気や汚れを、これで取ることから、わたしの後片づけがはじまるのです。

時間があったらその後、ウェスでふき取るときれいさっぱり。あとは薄めた洗剤をつけたスポンジでさっと洗えば、洗いものはおしまい。おかげで、ぬるぬるした（鍋についたカレーを思い出してみて）汚れがなかなか取れず、洗剤も水もたくさん使っちゃった……なんてことが、ずいぶん少なくなりました。

これ、もともとは知人の山の家で得た知恵。水道の通っていないそのお宅では、食後の片づけはまずヘラで汚れをとることから。「最初は面倒に思うかもしれないけれど、慣れるとラクよ」。鼻歌交じりにたのしげに片づけるその姿に感銘を受けたわたしは、帰ってすぐに実践するようになった、というわけです。

左のちいさなアイテムが、鍋や食器の汚れをとるのに使うスクレーパー、真ん中は調理用のスパチュラ、右は調理スプーンです。素材のシリコーンは、耐熱温度が高く、適度なしなりがあります。またこれらのツールは色が黒なので、色移りが気にならず、継ぎ目もないので汚れが溜まらないのが特長です。

065 ｜ おわん

飛騨高山の骨董屋で見つけたのは、かわいらしい千鳥の蒔絵が蓋にほどこされたおわん。しっとりした漆の質感が心地よく、木箱にお行儀よくおさまった様子もなんだかいい。ああどうしよう。おわんはいっぱい持っているし、でも……と迷っていると「旅の出会いは一期一会。ピンときたら買わないと、あとで後悔することになるぞ」。もうひとりのわたしがそう叫び出したのです。

最初は10個、その後、ええいっと気が大きくなって木箱丸ごと20個。「おじさん、これくださいっ!!」威勢よくお願い。晴れて我が家にやってきました。

さて、何を盛ろうか。白味噌におとし芋？　赤出汁に山椒の葉をたっぷり？　ピカピカに洗い上げたおわんを前に、あれこれと考える、この時間がなによりたのしい。盛ってみると、黒漆が引き立ててくれるからか、いつもよりなんだかおいしそう。かねてから黒いうつわのすごさはわかっていたつもりだったけれど、漆にもそれはあてはまるみたいです。

かつて江戸幕府の天領だったこともあり、豪商たちの屋敷もたくさんあった飛騨高山は、知る人ぞ知る骨董の宝庫。街の骨董屋さんでは、小物だけでなく、大きな家具が見つかることも。4月から10月の第1日曜日は、高山市内の「さんまち通り」で、市内の古美術商約20軒が露店を出します。

066 | バケツ

お風呂屋さんで使うような竹かごを洗濯物入れにしていた時もありましたが、最近はもっぱらこの黒いポリエチレン製のバケツに落ち着きました。なんといっても濡れたものを気にせず入れられるところがいい（長い時間、放置しないように注意！　カビくさくなりますからね）。タオルなど、白でまとめた空間がびしっとしまるところがいい。バスルームにはふたつ並べ、右は色の濃いものや柄物、左は白いものと区分け。どちらかがいっぱいになった時が洗濯するぞ、の合図になっています。

間口が広いので、入れやすいし取り出しやすい……のですが、なかが丸見えなのが気になるところ。いろいろ考えた結果、「ごちゃっとしたものを隠すように、一番上にシーツを置くなどの工夫をすること」にしました。我が家には「料理の盛りつけはていねいに」とか「リビングには読みかけの雑誌などの私物は持ち込まない」など、暮らすうえでの暗黙の掟があるのですが、この洗濯もののおき方もそのひとつ。ちょっとのことですっきりきれいになるものですからね、こういうことってすごく大切なのです。

現在「RED GORILLA」ブランドとして知られるガーデニング用のポリエチレン製のバケツ。伊藤さんが使っているのはファッションブランドのマーガレット・ハウエルがセレクト・販売しているタイプです。リサイクル可能なポリエチレンを使い、柔軟性と耐久性、耐水性が高いことで知られています。

067 | がま口

小花柄を着なくなったというのは P101 でも書きましたが、それで思い出したことがもうひとつ。「大胆な色や柄の服を着なくなった」です。前だったらひと夏に 1、2 枚は柄物のワンピースを買っていたのにね。その代わりというのもなんですが、小物は年々増えている。だってやっぱりかわいいものが好きだから！それでもトーンは落ち着いてきていて、気づけば黒をベースにしたものばかりになっています。

マリメッコのがま口つきのポーチがその代表。平たくてマチのないシンプルタイプですが、それだけに柄が引き立つというもの。フィンランドに行くとお店をのぞくのですが、毎回、新柄が出ていて目が離せない。旅の記念にと少しずつそろえていて今は 8 個くらいが手元にあるのかな。

この前の京都旅では、この 4 つを持参。それぞれ大きなものには、ハンカチとティッシュ、眼鏡と目薬。小さなものにはリップクリームやハンドクリームを仕分け。大きさと柄を見れば、なかはあれだな、とわかるとあってとっても重宝しています。

マリメッコ（Marimekko）は 1951 年創業のフィンランドのプリントファブリックメーカー。マイヤ・イソラ（Maija Isola　1927-2001）やヴオッコ・エスコリン - ヌルメスニエミ（Vuokko Eskolin-Nurmesniemi　1930-）など優秀なデザイナーが在籍、大胆でカラフルなデザインを生み出しています。

068 | 鋳物の鍋

みんなの家にきっとひとつはあるんじゃないかな、と思われる
ル・クルーゼの鍋。母から譲り受けたものなども含めて、わたし
もたくさん持っているけれど、これは唯一「使えない」鍋。

見つけたのはパリの蚤の市で。お店のムッシュが言うには、どう
やらかなり初期のものらしい。見つけた時は錆があちこちについ
ていて、使えるのかなぁどうかなぁというところ。それでも「好
きなものの祖先なら」と買うことを決意しました。

家に帰り、錆の部分をガリガリと金タワシでこすって、ふーやれ
やれ、きれいになった……とホッと一息。でもちょっと気を許
すとすぐに錆びる。それを数回繰り返し、どうしたものかと途方
にくれること一晩。結局、料理に使うのをやめることにしました。
ではどうしているかというと、カードや小銭を入れたり、キャン
ドルホルダー代わりにしたり。「鍋」とは考えず「いれもの」と
思うことにしたのです。鋳物の持つ黒が放つ存在感は、なかなか
かっこよくて、リビングにおいてあっても違和感なし。重かった
けれど買って帰ってよかったなぁ、と思うもののひとつ。

LE CREUSET（ル・クルーゼ）は 1925 年に生まれたフランスのブランド。
伊藤さんの所有するのは古い鋳物。現在は鋳物琺瑯となり、蓄熱性が高く、蓋
をして加熱すると熱と蒸気が対流することで旨味をにがさず調理できるのが
特徴です。蓋の 3 本ラインは、現役モデルにも受け継がれています。

069 | ゴム手袋

台所仕事をする時は、どうにもめんどくささが先に立ち、ゴム手袋をする気になれないもの。それでもお風呂掃除や床の掃除など、「よし今日は気合い入れていこう」という時には、ゴム手袋とバケツを用意して、掃除に向かう気持ちを高めることにしています。そんな時は、ガーデン用の黒いゴム手袋の出番。ちょっと厚手で、見るからに質実剛健ないでたち。ガシガシ、ゴシゴシ、少々手荒に使ってもびくともしない強者です。

もちろん、小さな手専用や薄手のもの、色もピンクやペパーミントグリーンっぽいゴム手袋があることは知っている……のですが、あえてこの黒がいい。なぜかというとバケツも黒だから。黒いバケツに黒いゴム手袋。これがなかなかかっこいいんです。

さて、そろそろ春が近づいて、ハーブでも植えようかしら？　なんて時も、このゴム手袋が登場。「土は素手で混ぜるのがいい」とグリーンフィンガーは言うけれど、ガーデン仕事にあまり慣れないこちらとしては手を守りたい。水仕事も土仕事もへっちゃら、と思えるわたしの第二の手になっています。

イギリス生まれのゴム手袋、Marigold（マリーゴールド）。黄色はキッチン用、グリーンはバス用、ブルーは敏感肌用、黒はアウトドア用と、用途で４つに色分けされています。黒は、二重構造のラテックス製。厚みと強度があるのに、柔らかく使いやすい。木の枝を握っても大丈夫です。

ながめのいいもの

070 | ビーズのブレスレット

知人の家を訪れた時に目に入ったビーズのブレスレット。わあ、すてきですねと言うと「どうぞ持って行ってください」とその人が言うのです。大ぶりのアクセサリーは似合いそうにないし、大切なものをいただくわけには……と戸惑っていると「いや、せっかくなんでぜひ！」というので遠慮なくいただくことにしました。山積みになった古着のデニムや、縄で編まれた壁掛け、石に水晶、木のうつわ、ごろりといかついシルバーの指輪、鉄でできたオブジェ、過激で公開できなかったというリーバイスの古いポスター……その方の家には、世界中を旅して集めたものがひしめき合っているのですが、統一感があって居心地いい。どうしてかなぁと思っていたのですが「すべてのものに好きな理由があるから」なのだということに気づいたのでした。

さてこのブレスレットですが、家に帰ってしばらく眺めているうちに、どんどん愛着がわいてきました。でもこれを堂々とつけこなす、おしゃれの度量がわたしにはまだなさそう。いつか迫力のある、おばあちゃんになったら、つけたいなと夢見ています。

ビーズは、人類が最初につくったアクセサリーが石や貝でつくったといわれるほど、古い歴史をもっています。現在にいたるまで、獣骨や角、ガラスやプラスチックなど、多彩な素材が用いられています。日本で流行したのは大正時代の終わり。1920年代には日本初のビーズの参考書が出版されました。

VILLE DE BEAUNE

Droit de Visite des Musées

Entrée

N: 037662

Académie des Beaux Arts

Maison et Jardins
Claude MONET

Toute sortie du Musée
est définitive

When leaving no re-entry
permitted

N° 682808

Chateau du Clos de Vougeot
En Bourgogne XII° et XVI°

Plein Tarif   17,00Fr(1)

071 ｜ テープカッター

「スタイリストをしていると、よくものえらびについて尋ねられ
ます。みんなどんなものを買っていいかわからないんですって。
そんな時、わたしはこんなふうに答えます。自分にとってなんだ
かいいな、っていう感覚を信じたほうがいいと」。以前出した本
を読み返したら、こんなことを書いていました。なかなかいいこ
と言うなぁとこの時の自分を褒めたい。そう、何が自分に合って
いるかは、自分にしかわからない。だったらいろいろ調べて知識
を得るよりも前にもっと大切にしたいのは「自分にとって好まし
いかどうか」なのだと思うから。

まずは見た目。それから触った感じ。使う時の音。におい。このテー
プカッターを買った時もまずは、くじらのような横姿が気に入り
ました。ずしりと重いから片手でもテープが切れる、よし。落ち
着いたモスグリーンもいいなぁ……という具合。ひとつでもひっ
かかるところがあったら買わない。ものをえらぶ時、それくらい
の潔さがあってもいいんじゃないかと思っているのです。だって
ほかのだれでもない、自分が使うものなのだから。

このテープカッターは 1940 年代のアメリカのヴィンテージ。現在の世界的
化学・電気素材メーカーである「３Ｍ」の前身である Minnesota Mining &
Manufacturing Co. 社製の「SCOTCH TAPE DISPENSER」です。鉄製なので
2.5 キロと重く、安定感ばつぐん。当時の価格は＄1.25 だったそうですよ。

072 ガラスポット

ティーポットとか、カップとか。我が家にはお茶にまつわる道具がたくさんありますが「いいね、これ」と、見た人が必ずと言っていいほど反応するのが、シグネ・ペーション・メリンというデザイナーのウォーマーつきティーポット。

下に小さなキャンドルをつけておけば、ほの温かさ（熱いのではなく、ほの温かいというところがポイント）が保たれるとともに、小さな炎のゆらぎもたのしめちゃうというすてきな一品です。容量もたっぷりなので、お客さまが多い時にも重宝するし、よし今日は原稿書くぞ、という日でも一度淹れれば何度も台所に立ってお湯を沸かす必要もなし。

ガラス製なので、取り扱いには少し注意が必要ですが、毎日のように使っていても何年も割れずにいる。大切にしたいものって、気持ちが通じるのか？　そうそうこわれない、そんな気がします。

さて今日は、たっぷりのミントを入れてフレッシュミントティーに。ただ葉っぱを入れてお湯を注いだだけなのですが「わー!!」と歓声が沸き起こる。ガラスのマジックといえましょう。

1958 年に発表された、スウェーデンの Boda Nova（ボダ・ノヴァ）社のウォーマーつき（ろうそくで温める）ガラスのティーポットです。作者のシグネ・ペーション・メリン（Signe Persson-Melin　1925-）は、陶器とガラスのプロダクトを得意とし、数々の名作を生み出した著名なデザイナーです。

073 | リネンのバッグ

仕事で「パリのショッピングバッグを集めよ」というミッションがあり、あちこち（本当にあちこち）下見をしたけれど、なかなかいいものが見つからない。パリなのに！　それともマルシェでは、いまだにかご持参の人が多いパリだからか？

どうしよう、あと3日しかない。途方に暮れかけた時にマルモッタン美術館のショップで見つけたのがこのリネンのバッグ。

値段よし（20ユーロ）、デザインよし（ロゴがさりげなく入っている）、素材よし（洗うと感じよくなりそう）、大きさよし（ワインもバゲットもすっぽり入る）、と三拍子どころか四拍子揃っていて、見つけた時は小躍りしそうになりました。

結局、この仕事は形にはならなかったけれど「足を使ってものを探す」というスタイリストの基本に戻ったような気分になって、今思い返すと、なかなかよい経験になりました。

使い始めて3ヶ月あまり。重いものを入れてもへこたれず、持っていると、それどこの？　と聞かれることもあって、今ではかなり自慢の品。パリ土産の定番になりそうです。

マルモッタン美術館（Musée Marmottan Monet）はパリの16区、ブローニュの森近くにあるフランス印象派を中心とした美術館です。印象派の名の由来となった作品「印象・日の出」をはじめ、クロード・モネの作品群は、世界最大級のコレクションとなっています。

074 | コーヒードリッパー

右利きも左利きの人も使いやすいようにと、そそぎ口が左右につけられた柳宗理のフライパン（P8）や、「いつでも清潔に」という想いから形になった野田琺瑯のホワイトシリーズ（P126）。ただ美しいだけじゃない、つねに、使い手の側に立ったものづくりを考え、それを形で表現する、職人や作家やデザイナー。手仕事も工業製品も。身の回りのありとあらゆるもの、ひとつひとつに、こうした人々の創意工夫がなされているのだと思うと、それはなんだかすごいことなんじゃないかなと思う。

このメリタのドリッパーもまたしかり。本体はアルミですが、持ち手は熱を伝えない樹脂でできている。ドリッパーに関しては、プラスチックや陶器のものを試してきたけれど、重かったり、コーヒーのシミがつきやすかったりと、使っていてどうもピンとこなかった。だからこれを見つけた時はうれしかったなぁ。「ああ、もうこれからはこのドリッパーひと筋でいこう」そんな気になったものです。ただひとつ問題は、ヴィンテージということ。商品化してくれたら、喜ぶ人多いと思うんだけどなぁ。

今はつくられていない、1908年創業のメリタ（Mellita）社が1950年代につくっていたドリッパー。穴は4つです。夫においしいコーヒーを飲ませてあげたいというメリタ・ベンツさんが考案した世界初のペーパードリップ。改良を重ね、現在の1つ穴になったのは、1960年代のことでした。

075 | 木のトランク

横50センチ、縦32センチ、幅20センチ。北欧の蚤の市で時々見かけるのが、この木のトランク。それ自体が重いので、なかにものを入れたらさぞかし……と心配になるけれど、つくられた当時は、軽量の素材はなかったんだろうなぁ。市をまわる間いくつか目にしましたが、これはとてもきれいな状態。バイヤーの友人いわく「持ち手の革にダメージが少ないのは貴重」ということで、買うことにしました。送る時は、エアパッキンでぐるぐるに梱包。さらにダンボールに入れて、と念を入れ、郵便局から発送。……それから4日ほど経った日のこと、日本で留守番をしている娘から「フィンランドから荷物届いてるよ」と連絡が来てびっくり。中3日？　フィンランドの郵送事情、とても優秀です。

これに何を入れているかというと、ふだんあまり使わないプロジェクターやらコードやら。ずっとごちゃっとした様子が気になっていましたが、これですっきり解決です。我が家は充電器はかごのなか、Wi-Fiのルーターはシェーカーボックスのなか。電気関係のものが見えないと、景色がなかなかよろしいのです。

船旅の時代に使われた木のトランク。ルイ・ヴィトンも富裕層向けの木製トランクをつくっていました。自分では運ばないから重くても平気だったのでしょうね。ヨーロッパの蚤の市や古道具店で出会うヴィンテージのトランクは、ブランドが不明のものがほとんどですけれど、いずれもいい味わいです。

076 | 鉄のアイロン

ほしいものがないならば、その道のプロとともにつくってしまおう！　というのが weeksdays をつくるきっかけ。でも、ないなら、ほかのもので代用できるよね？　とも思っておりまして、そのひとつが鉄のアイロンをドアストッパー代わりに使うこと。頭を使って柔軟に。要はドアが開くのを止めればいいのですから！　見つけたのはパリの蚤の市。地べたの上に白い布を敷き、トンカチやノコギリ、ドアノブなど、なにやら硬そうなものばかりを並べているおじさん（P125 のフィンランドのおじさんもそうでしたが、どうやら男気のあるものえらびに惹かれるみたい）に目が留まりました。いい店だけど買うものはなさそうだなぁ……そう思った矢先、目に留まったのが、この鉄のアイロン。

重そう。でもドアストッパーにぴったりでは？　ほしい個数と目の前にあるアイロンの個数が一致して、重さも考えずに「Ça, s'il vous plaît（これください）」。帰りの荷物は、尋常ではない重さでしたが、これも旅の思い出です。

現在のような電気式が普及する以前、アイロンは、中が空洞になっていて炭火を入れて使うタイプや、専用のストーブで温めて使うこて形のタイプがありました。このアイロンは、こて形。ヨーロッパのヴィンテージ市場で人気のあるアイテム（フランス語では ancien fer à repasser en fonte）です。

077 ｜ 茶漉し

ある時「まさこさん、茶漉しってどうしてますか？」年下の友人から真面目な顔でこう尋ねられました。ティーポットやカップなどは、気に入ったものを揃えてきたけれど、こと茶漉しに関してはなかなかいいものがなくって、とのこと。わかるわかるその気持ち。毎日使う道具だからこそ、どんな小さなものでも手抜かりなく、自分にしっくりくるものをえらびたいものね。

かくいうわたしも、茶漉しに関してはなかなか思ったものに巡り会えませんでした。見かけでえらんだ木の柄の茶漉しは、柄の部分がすぐに白っちゃけてしまったし、実用本位でえらんだステンレスの茶漉しは素っ気なさすぎて愛情が持てなかった。

うーむ、どうしたものかと思っていた時に、ニューヨーク土産でお茶とともにいただいたのが、これ。うわぁ、すてき。カップの上に置いてお茶を注いだ時に口をついて出たのがこの言葉。淹れるごとに茶葉がたまる様子までよく見えてしまうなんて。使うほどに味わいも増すようで、その変化もまたたのしみ。日本でも買えるようになったらいいのになぁ。

手編みワイヤーの茶漉しは、ＮＹのブルックリンを拠点にしている BELLOCQ TEA ATELIER（ベロック・ティー・アトリエ）のアイテム。フードエディター、プロダクトデザイナー、家具職人の３人が創業したお茶の店で、紅茶、ハーブティー、緑茶、中国茶など、世界中から厳選したお茶を扱っています。

C'est aux **erreurs** qu'on reconnaît la personnalité [...]

Pablo Picasso
© Succession Picasso, 2018

078 | 消しゴム

2019年の秋、親子で久しぶりにパリを訪れました。前にふたりで来たのは中学生の時だから……6年ぶりくらい？　ワインも飲めるようになり、すっかり成長した娘とのその旅で一番うれしかったのは、一緒に美術館めぐりができるようになったこと。のんびりゆったり、各自のペースで見て回ったら、美術館のカフェでひと休み。あの絵はどうだった、あの部屋の光がすてきだった、なんてああだこうだ話しながら過ごすのです。帰りがけ、ミュージアムショップに立ち寄るのも忘れずに。図録やポストカードなど、ミュージアムショップの定番商品のなかに、いいものが紛れている確率が高いのですから！

一見、石に見えるこの白くて四角いものは、ピカソ美術館で見つけた消しゴム。書かれた文字はピカソのメッセージ。消しゴム、そんなに使う機会もないしなぁ……とためらっていると「これ、すごくいいから買ったほうがいいよ！」と娘。帰ってから石が入っているボウルに入れたらこれがなかなかいい。あの時、背中を押してくれてよかったなぁと感謝しています。

パブロ・ピカソ（Pablo Picasso　1881-1973）はスペイン生まれの20世紀芸術の巨匠。パリのピカソ美術館（Musée Picasso Paris）は、遺族が相続税として物納した作品を中心としたもので、長い改修を終え、2014年にリニューアルオープン。人気が高いのでチケットは事前にWEBで予約を。

079 ｜ ハリネズミの灰皿

モビールや絵本、ぬいぐるみ……昔からなぜだか気になるのが、ハリネズミモチーフのもの。かわいらしい顔しているのに、背中はイガイガ。そのギャップにぐっとくるのかな。6個が入れ子になったこのハリネズミの灰皿も、見た瞬間に一目惚れ。煙草は吸わないけれど置いてあるだけでもかわいいし、などと思いながら買ってしまいました。どうやらこの灰皿、スウェーデンでは有名なデザイナーがデザインしたものらしく、にせものも多く出回っているとか。そういえばストックホルムのヴィンテージショップで、同じ形で妙に軽いものを見たのですが、それはもしや……。もしかしたらわたしのも……？　とも思うのですが、わからずじまいにしたままです。

使う頻度は2ヶ月に1回くらい、煙草を吸う友人たちが集まる時。それぞれ右手に煙草、左手に灰皿を持って、ベランダでわいわいしている姿はかっこよくって、ちょっといいなぁと思うけれど、きっとずっと眺めるだけにちがいない。これからもベランダのマスコットとして、どうぞよろしく。

世界で100万個を売ったといわれるこのハリネズミのデザイナーは、オーストリアのウォルター・ボッセ（Walter Bosse 1904-1979）。セラミック作品にはじまり、のちに真鍮を手がけるようになりました。このハリネズミは、真鍮を黒く色付けし、その一部を削り取って仕上げています。

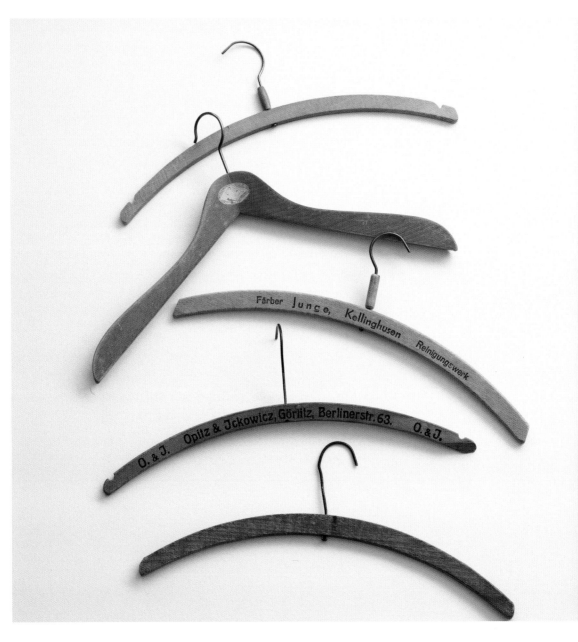

080 | ハンガー

ふだん使っているのは、8ピース499円の、イケアの木のハンガー。ハンガーがおそろいだとクローゼットのなかが美しく、それだけで整って見えるとあって大満足（値段もかわいいし）。ハンガーに関しては、ああでもない、こうでもないと今までにいろいろなものを試しましたが、ああこれで長年のハンガー問題も解決だわ、と気持ちがすっきり。

では来客用も同じものかというと、さにあらず。蚤の市などで買い集めた古いハンガーにしています。玄関脇に置いた白いラックにてんでばらばらのハンガーをかけておき、「お好きなものをどうぞ」。木の色合い、文字の入り方など、ハンガーごとに個性があっておもしろいし、形もなで肩あり、いかり肩ありで、眺めているだけでたのしい。たかがハンガーされどハンガー、なのです。洋服をかけて撮影する時にも、古いハンガーは大活躍。それぞれ、この服にはこれ、とえらんで撮影するのですが、相性ぴったりだとすごくうれしい。このハンガーはわたしの仕事道具でもあるのです。

イケアの木のハンガーの名前は「ブメラング」（BUMERANG）。木目のものは8個セットで499円、白あるいは黒でペイントされたものは599円です。洋服の型くずれを防ぎたい時は、ハンガーの上からかぶせて使うプラスチックのカバー「ショルダーシェイパー」（1個99円）を使うといいですよ。

081 | 魚のいれもの

フィンランドのマーケットで、形に惹かれて買った鋳物の魚。店のおじさんに用途を聞いたものの、結局なにがなんだか（どうやら売っているその人もわからず適当な受け答えだった）わからずじまい。それでも時々、ナッツなどを入れてテーブルに出すと、わーかわいい！　などと話題の中心になったりするのは、愛嬌のある形だから？　使いやすいだけがいいうつわじゃないんだと、こういう時に実感するのです。

ナッツ入れの次は玄関で鍵置きとして。次は小石を入れてリビングに。時にはP56の鍋の横においたりして、鋳物の質感をたのしんでいます。

じつは、翌年もまた友人と連れ立って同じマーケットに行きました。魚のおじさんいるかなぁ……とキョロキョロすると、ああ、いたいた！　変わらず同じ場所に店を出していました。その時に買ったのが、P120の琺瑯のいれもの。どうやらわたし、この人の集めるものが好きみたい。また行く機会があったら、魚のおじさんのブースにまっ先に行くに違いありません。

フィンランドでVuokaと呼ばれる鋳物の調理器具です。カルッキラという町にあったHögfors社製。オーブンや窯や暖炉にも入れられ、どんな調理法でも平均的に熱を加えることができるため、重宝されました。魚料理は、どうしても匂いが残ってしまうため、魚専用として魚型のものがつくられました。

082 | スティグ・リンドベリの絵皿

見つめ合う男女の頭には花かざりが。口元には鳥が。横を向いた
女の人が巻いているのはスカーフ？　それとも魚？

このプレートをデザインしたのは、20世紀のスウェーデンを代
表する陶芸家、スティグ・リンドベリ。「テルマ」と呼ばれるブ
ラウンの食器シリーズや、あざやかなグリーンの葉っぱが描かれ
た「ベルサ」など、北欧のデザインに興味を持つ人ならば、だれ
もが知るうつわをつくったのも彼。プレート、カップ＆ソーサー、
フラワーベース、鍋、陶板……リンドベリの作品はどれもモダン
で軽快、自由で素朴。一言ではいい表せない魅力を持っています。
わたしが持っているこの2枚は、「ピアッツァ」と呼ばれるシリー
ズ。ほかに青い釉薬がかかったものもあるのですが、いいなと思
うのはマットな黒。何を盛るでもなく、リビングにぽんと置いて、
そのたたずまいを愛でています。料理が映えるとか、盛りつけが
しやすいとか、うつわに求めることはいろいろですが、ことこの
うつわに関しては何もしなくていい。時には、そういううつわが
あってもいいんじゃないかと思っています。

スウェーデンの陶磁器メーカー・グスタフスベリ社を代表するデザイナー、ス
ティグ・リンドベリ（Stig Lindberg　1916-1982）。陶芸だけでなく、ガラ
スやテキスタイル、工業デザインも手がけ、画家・イラストレーターとしても
知られました。日本では西武百貨店の包装紙をデザインしたことも。

083 | コーヒーミル

今住んでいる家は坂の途中にあって、坂の上と下、どちらもちょっと洒落たコーヒー屋が何軒かあるという、コーヒー好きにはたまらない立地。時々、気分転換に散歩を兼ねてトコトコと坂を下りて(時には上って)、コーヒーを飲みに行き一息ついてまた帰る、なんてことができてうれしいかぎりなのです。

それでもたまには自分で淹れることもあって、そんな時に棚からいそいそと出してくるのが、この北欧の古いコーヒーミル。かっこばっかりで使い勝手が悪そうに見えるでしょう？ それがなかなかどうしてはたらきもの。ぐるぐると回すうちに、気持ちもなぜだか落ち着いてくるという、わたしの精神安定剤。

ミルが入った棚には、他にもいくつか古いミルが並んでいます。それらの使い勝手を聞かれると、ちょっと困ってしまう曲者ぞろいなのですが、並んでいる姿を見るだけでうれしい。場所をとるなぁとか、あまり使えない道具を持つのもどうか？ などと思うこともあるけれど、これは道具好きの性として容認することにしています。

手挽きのコーヒーミルには、伊藤さんが持っているような安定した場所に置いて使う箱形のタイプのほか、アウトドアでも使えるコンパクトな円筒形のタイプがあります。どちらも使い方は同じ。ナットを調整して挽く細かさ(細挽き・中挽き・粗挽き)を調整し、コーヒー豆を入れてゆっくり回します。

084 ピッチャー

唐津のお鮨屋さんで、お茶入れとして使っていたのが、このピッチャー。つくったのは唐津に工房をかまえる陶芸家の中里花子さん。その前日、花子さんの展覧会で同じものを手にしていたので、その偶然にびっくり。洋風なたたずまいに、花を活けるものとして買ったのだけれど、そうか、日本茶を入れてもいいんだ。たしかに和食器との相性もいいものね。

同じものでも、自分の家で見るのと、お店や友人の家で使っているのを見るのとまた印象が違うもの。はっとしたり、なるほどなぁと思ったり。勉強になるし、まだまだうつわ使いの発想は広がるものだなと感心します。

うつわを買うとまずするのは、家のあちこちに置いて眺めること。最初はちょっとよそよそしいけれど、置いているうちに次第に家に馴染んでくるのです。それから使い方を考えたり、しまう場所をつくったり。花子さんのピッチャーはしばらく眺めてから、ヒヤシンスを飾ってみました。さてそれからどうしよう。お茶？レモネード？ サングリアなんてのもいいなぁ。

中里花子さんは唐津出身の陶芸家。16歳で単身渡米、大学までをアメリカで過ごし帰国、父である中里隆さんに師事、2000年の親子展を皮切りに、日本・アメリカ各地で個展を開催しています。2007年に唐津に、2010年にはメイン州に工房 monohanako を設立。半年ずつ行き来して作陶をしています。

ずっと好きなもの

085 | 母のクッキーの抜き型

「ただいまー」と元気よく学校から帰ると、台所からあまーいいいにおい。今日はマドレーヌかな、それともシュークリーム？ パイナップルとチェリーのアップサイドダウンケーキ？　わくわくしながらオーブンをのぞきに行ったものでした。母は「今みたいに、おいしいお菓子が売っていなかったからよ」と涼しい顔で言うけれど、よくぞマメにつくってくれたものだと感心しています。おやつづくりのお手伝いで、一番たのしかったのはなんといってもクッキーの型抜きです。母が用意してくれた生地を麺棒で伸ばして型を抜く……のですが、これが簡単なようでなかなかうまくいかない。ことにうさぎや家などの大きな型だと失敗する率も高くて、だからかきれいに焼けた時の喜びもひとしおなのでした。型は父のアメリカ土産だったと記憶していますが、ちょうどその当時読んでいた絵本『ちいさいおうち』とこの赤いおうちの形が似ていて、うれしかった。家を建てるならば、こんな切妻屋根のおうちがいいとずっと思っているのは、このクッキー型のせいかもしれません。

『ちいさいおうち』（The Little House）は絵本作家バージニア・リー・バートン（Virginia Lee Burton　1909-1968）による 1942 年の作品。1952 年にはディズニーによってアニメーション化されました。日本では石井桃子さんの訳で岩波書店より 1965 年に出版され、今も重版を続けています。

086 | ランチボックス

わたしがスタイリストのアシスタントだったその昔、アメリカ風なテーブルを演出したい時は、ウィリアムズソノマという店に行ったものでした。渋谷の東急本店と東横店に店を構えたその店は、50年代にカリフォルニアで創業したキッチン用品の専門店。ワッフルメーカーや、大きなパイ型、ピザチョッパー、中にはアボカドカッターなんて珍しい道具もあって、店にいるだけでわくわく。バッグとかキッチンクロスとか、ソノマ（親しみを込めてスタイリスト仲間の間でそう呼んだ）オリジナルの商品も洒落ていてよかったなぁ。

そこで見つけたのが、DEAN & DELUCA のランチボックス。ああ、アメリカのコミックに出てくる子どもたち、こんなの持って学校に行くよね！　とはいえ、それにランチをいれる予定はないけれど、なんだかうれしくなって買ったのでした。

結局、これにランチを詰めて持って行ったのは、一度きり。今では母から譲り受けたクッキー型を入れていますが、なかなかぴったりでうれしい。いつか中身ごと娘に譲ろうと思っています。

ニューヨークで1977年に誕生した DEAN & DELUCA（ディーンアンドデルーカ）。残念なことに本国では経営破綻しましたが、日本では独自に展開を行ない、今も人気を集めています。いっぽう、1956年創業のウィリアムズソノマ（Williams Sonoma）は日本から撤退したものの、米国では健在です。

087 | 柳のかご

服も、うつわも、本も。その時その時で必要かそうでないかを見極め、「そうでないもの」は、友人にあげたりバザーに出してものの数を一定にしています。仕事柄、ものと出会う機会も多いし……と言い訳をするものの、じつはただの買いもの好きなだけなのですけれどね。そんな新陳代謝のはげしいなか、ずっと変わらず持っているのが、このフランス製の柳のかごです。

使ったら風に通して、時々かたくしぼったクロスで拭いて……を繰り返すこともう 30 年以上。高校生の時に清水の舞台から飛び降りる覚悟（セールでも高かったんです）で買ったこのかごも、白っぽい色合いから飴色へと色合いが変化し、だいぶ風格がついてきました。これを「育てる」というのでしょうか。いいお茶碗に貫入が増えていく様子を愛でるように、かごの変化を愛でているのです。

いつだったか、かご編み名人がこんなことを言いました。「かごにとって一番いいのは、とにかく使うこと」と。その言葉を肝に銘じてこれからもせっせと使おうと思っています。

ヨーロッパ北部には栽培した柳を使って編んだかごを使う文化があります。枝をそのまま使うものと、半分にさいて使うものがあり、加工方法にも煮柳、白柳、染柳、スモーク柳などの種類があります。フランスでは、浅くトレー状に編んだ柳のかごは、チーズの盛りかごとして使われることも多いようです。

088 | 椅子

「今日は椅子を買いに行こう」。小学校に上がったばかりのある日、父がこんなことを言い出しました。それまで座っていた子ども用の椅子は、もう卒業と思ったのでしょうか、わたし専用の椅子を買ってもらった時は、少しだけ大人の仲間入りをしたようで、それはそれはうれしかった。ふたりの姉は10歳と7歳ちがい。伊藤家ではいつまでも「ちっちゃなまぁちゃん」あつかいでしたから。家族5人おそろいのその椅子は、それから何年も経ってほとんど使わなくなってしまいましたが、捨てるにはしのびないと思った母が屋根裏に移動させておいてくれたおかげで、今では我が家に仲間入り。木の部分はやすりをかけ、オイルをしみこませ、背もたれと座面は革からグレーのソファ地へと張替え。姿は少し変わったものの、愛着は当時のまま。思えばこれがわたしの「はじめての椅子」なのでした。

その後、ずいぶんたくさんの椅子がくわわりましたが、じつは一番座ることの多いのが、この椅子。これからもきちんと世話をして大切にしていきたいなぁと思っています。

椅子やソファの座面は張替えが可能。同じ生地なら新品同様に、異なる生地を選べば違う家具に見えるほどイメージがかわります。DIYの得意な人は自分で手がけるようですが、専門業者もたくさん。この椅子のメンテナンスは、伊藤さんの知人である北欧中古家具店のオーナーに相談したそうです。

This Is My 定番

089 | ガラスのうつわ

ガラスの魅力はなんといっても、その透明感。陶器や磁器のうつわがならぶテーブルの上に、ぽん、とひとつ置くだけで、その場所に空気が通る。ファッションやメイクでいう「抜け」のようなものを、テーブルの上で表現したい時に、ガラスは力を発揮してくれます。わたしが毎日使いたいのは、かぎりなく余分なデザインをそぎ落としたグラスやうつわ。それでいながら手に持った時の感触や、口に触れた時の感覚が、ひやっとしないもの。水や牛乳をそそいだ時や料理を盛った時、ぐっとひきたててくれるもの。weeksdays から松徳硝子にお願いしたのは、すなおな顔をした円筒形のコップ。ひとつひとつ手でつくられるため、感触にはあたたかみが。それでいながら的確な作業が生み出すその姿はとても端整なのです。

ビールをごくごく、ではなくてちょっとたしなむ小さなコップや、左の写真のコップを大きくしたようなうつわ、口をちょこんとつけたかたくちやデキャンタなど、アイテムは全部で6つ。あなたの暮らしに合うガラスをどうぞ見つけてください。

大正11年創業、現在の名前になったのは昭和21年という松徳硝子。電球用ガラスを製作していた時代の均質な薄いガラスを吹く技術が受け継がれています。このうつわは、フランスとスペインにまたがるバスク地方の「ボデガ」と呼ばれる伝統的な円柱型のグラスをヒントにしています。

090 | 肉切りナイフ

ある時、父と母がフランス土産で買ってきてくれたのが、木箱に入ったLAGUIOLEの肉切りナイフ。ほしいけれど、なかなか自分では買わない（買えない）ものだけに、もらった時はとってもうれしかった記憶があります。それとともに、さすがわたしの両親、とも思いました。なにしろ父は「がっつりした肉料理じゃないと食べた気がしない」という人でしたから。

使ってみてびっくり。手強そうな厚切り肉もいとも簡単、気持ちいいくらいスパーンと切れる。大事に使ったら一生ものどころか、娘に引き継ぐことができそう。うやうやしいその姿も相まって、我が家の家宝となりました。

赤や黄色、シルバーの肉切りナイフはLAGUIOLEのカジュアルバージョン。パリのカフェで使っている様子を見て、これはこれでいいなぁと思い、デパートやスーパー、道具屋街を探し回って見つけたもの。木箱入りのものより切れ味はやや落ちるけれど、ふだん使いとしてはいい感じ。以来、同じ肉料理でも、背筋を伸ばして食べる時とリラックスして食べる時とで使い分けています。

LAGUIOLE（ライヨールまたはラギオール）は、フランス南部のオーブラック地方にある、人口1200人ほどの小さな村。山あいで自給自足の暮らしをしていたことから、19世紀から家内工業として刃物がつくられてきました。原産地名統制制度外のため、メーカーによって品質にばらつきがあるようです。

091 | 時計

カレンダーともども、我が家にずっとなかったのが壁掛け時計です。パソコンや携帯電話でも時間は確認できるので、なかったらないでまあいいか、そう思っていたのです。ところが引越しをして、壁を青く塗ったら、なぜかそこに時計がかけたくなった。心境の変化って不思議です。そこで前々から気になっていた、アルネ・ヤコブセンの壁掛け時計を見に行くと……これがとってもいい。「ステーションクロックという名の通り、デンマークの鉄道の駅でも使われている時計です。誰が見ても一目でわかる、シンプルなアラビア数字がいいんです！」とお店の方。なんでもその方、家でも使っているらしく、この時計に対する愛が強い。話すうち、ああ、これを壁にかけたい。かけねばならない！　そう強く思ったのでした。サイズは 16 センチと 21 センチと 29 センチがあってわたしのは真ん中の 21 センチ。かけたその日からリビングにすぅっと馴染み、今ではすっかり我が家の定番。壁掛け時計、いいのないですか？　と聞かれたら迷わず薦めています。ステーションクロックがいいよって。

アルネ・ヤコブセン（Arne Emil Jacobsen　1902-1971）はデンマークの建築家、デザイナー。個人宅から集合住宅、公共建築までたくさんの建築を手がけるいっぽうで、椅子や照明器具、カトラリーなどのプロダクトデザインも多数のこしています。この時計は 1943 年の作品。現在も販売されています。

092 | ものさし

毎日使う、というわけではないけれど時々必要になるのが測る道具です。たとえば棚板を足したい。えーと、奥行きは何センチだっけ？　なんて時は木のものさしの出番。仕事で使うお皿、直径を測らなきゃ、って時はミュージアムショップで見つけた古いメジャー（いちばん右端）が登場。なんだか最近、ウェストが気になるぞ、なんて時は、布でできた黄色いメジャー……と用途用途に測る道具があるのです。どれももちろん最初からそろっていたわけではなくて、少しずつ少しずつ吟味しながら集めたもの。ことに思い入れがあるのは、ロンドンの布の問屋街で見つけた木のものさし（真ん中）。……といっても、ぶらぶら探して運命の出会いをした、というのではなく、布屋で買いものをした時に店のおじさんが使っていたもの。これだっ！　とピンときたのでしょうか、それ売ってませんかっ？　とおじさんに尋ねると前のめり感が伝わったか、売っているお店を教えてくれました。どうやら「ほしい」気持ちは前面に押し出すといいものと巡り会えるみたい。これ、長年の経験から培った教訓です。

左端の黄色のメジャーは伊藤さんが文化服装学院の学生時代から使っているもので、30年選手だそう。その隣の木のものさしは「どこかの蚤の市で」購入。右から2番目は、インチ仕様なので、ふだんは使うことがないそうですが「かわいいからつい」購入したということです。

093 | 銅鍋

一年に一度は訪れたいパリ。旅の日程が決まると、いそいそと眺めるのは brocabrac.fr という蚤の市のサイト。ここに載っているのはフランス全土で開催される蚤の市の情報。自分がいる地域の番号をクリックすると（ちなみにパリは 75 番）、その日とそれ以降、数日間の情報がずらり。クリニャンクールやヴァンヴなどの有名な蚤の市のみならず、地元の人しか行かないような、かなりマニアックな情報も載っていて、とても助かるのです。

その中には、さっきまで使っていましたよね？　というような生活感にあふれたものばかり売る、蚤の市というよりはフリーマーケットに近いものもあるのですが、時おりプジョーのコーヒーミルが 5 ユーロ、なんて掘り出し物もあるからやめられない。

この 4 つセットの銅鍋も誰が使うんだろ？　というような、ゴミ同然（と言っちゃ失礼ですが）の生活用品の山から見つけ出しました。お値段なんと 20 ユーロ。それを負けてもらって 15 ユーロに。今では毎日使う鍋としてなくてはならない道具のひとつになっています。

パリで状態のよい調理器具や食器、生活用品を探すなら 14 区のヴァンヴの蚤の市（Marché de Vanves）がおすすめ。毎週土曜日と日曜日の午前中にオープン、露店は専門性があり、店主の知識も豊富です。銅鍋のセットは、比較的探しやすいアイテム。持ち手がグラグラしていないかを確認してくださいね。

094 ｜ 暦帖

ひとり暮らしをはじめて、何がうれしかったかというと「その部屋にあるものすべて自分がえらんだ好きなもの」に囲まれていることでした。ベッドは実家で使っていたものを白くペイントする、棚の代わりにワイン箱を重ねて、という具合に、お金が無いなりに自分で工夫しながら、小さな部屋を気に入った空間にしていくのは、なによりたのしかったのでした。

台所道具、うつわ、ベッドリネン……暮らしをとりまくものを少しずつそろえていくうちに、ハタと困った問題にぶつかりました。毎日目にしても感じがよく、部屋に馴染み、1年眺めていても飽きのこないカレンダーがなかなか見つからないのです。あれこれ探しまわるうちに、そうか、ないなら持たなければいい。手帳だけでもなんとかなるんじゃない？　そう気持ちを切り替えて、いらい、わたしの家にはカレンダーがありません。

それでもやっぱり時々困ることがある。さて、どうしたものか……とつくったのがこの暦帖。すっきりシンプル。パタンと閉じれば本みたい。来年もその次の年も。ずっとつくりたいアイテムです。

布表紙に金の箔押し、花布、栞付、ハードカバーのスケジュール帳です。製作は長野の美篶堂（みすずどう）の伊那製本所。オートメーションではなく、人の手を使って（もちろん、機械の力も借りながら）、ハンドメイドで仕上げています。

095 | 糸切りばさみと白樺のサック

専門店の多い京都。縫い針、打ち出し鍋、たわし、包丁……「用途のおなじものがズラリと並ぶ」。その光景にわくわく、そしてぞくぞくくるわたしとしては夢のような街です。

そんなドリームタウン、京都の三条で20年近く前に見つけたのが、この糸切りばさみ。糸はもちろん、スカートの裏地のような薄い布地もスパッと切れる。これのおかげで針仕事が何倍にもたのしくなったのは言うまでもありません。京都ならではのちょっとふっくらした蕪形もまた愛おしいではありませんか。

さて、その先端をカバーしているのは、スウェーデン・ダーラナ地方の「ものづくり学校」の売店で見つけた白樺の皮のサック。京都とダーラナ。どう考えても、結びつきそうに無いこのふたつが一体化しても違和感がないのは、きっと余分なものが一切削ぎ落とされたデザインだからに違いない、そう思っているのですが、どうでしょう？

はさみは使うたびに手に馴染み、白樺の皮はどんどんやわらかく。「一生もの」ってこういうものを言うんじゃないかな。

鎌倉時代、後鳥羽上皇の御番鍛冶だった刀工・則宗（のりむね）が、皇位の紋である16弁の菊紋を銘にいれることを許されたことから生まれた「菊一文字」の刃物。明治以降は刀剣から料理や工芸、園芸など生活にまつわる刃物をつくっています。この糸切りばさみは「極上和鋏」という現行商品です。

096 | スーツケース

このスーツケースは 20 年以上前に買った RIMOWA。2 週間くらいの旅の荷物が入る大容量。シールの跡が物語るように（よく見ると、1998 年のフランスの W 杯のキャラクターのシールも）いろんな国をともに旅してきました。鍵がこわれたり、へこんだりするたびに修理をして使って、を繰り返してきましたが、今は現役引退。とはいえ、年季の入ったこの姿に愛着もあるので、捨てるなんてとてもできない。今は、娘が小さかった頃に描いた絵を入れて、納戸に収納しています。

その後、同じ大きさで素材違いのポリカーボネート（アルミよりやや軽量タイプ）、それよりひとまわり小さいもの、機内持ち込み可能なパイロット型……と買い足して、今、使っているのは全部で 4 つ。買いつけの時は大きなタイプを 2 個持ち、国内 1 泊はひとつで身軽に、と旅によって持って行く個数もサイズも変化。なくてはならない相棒となっています。

出発の数日前から、ケースを開き、必要なものをポイポイ入れて旅じたく。閉じた姿もいいけれど支度途中の様子もまた好きです。

RIMOWA（リモワ）は 1898 年ドイツ・ケルンで生まれた牛革スーツケースの工場が前身。1936 年、創業者の息子リヒャルト・モルシェック（Richard Morszeck）が自らの頭文字をとって RIMOWA と名付けました（WA は Warenzeichen ＝商標）。2017 年より LVMH の傘下に入っています。

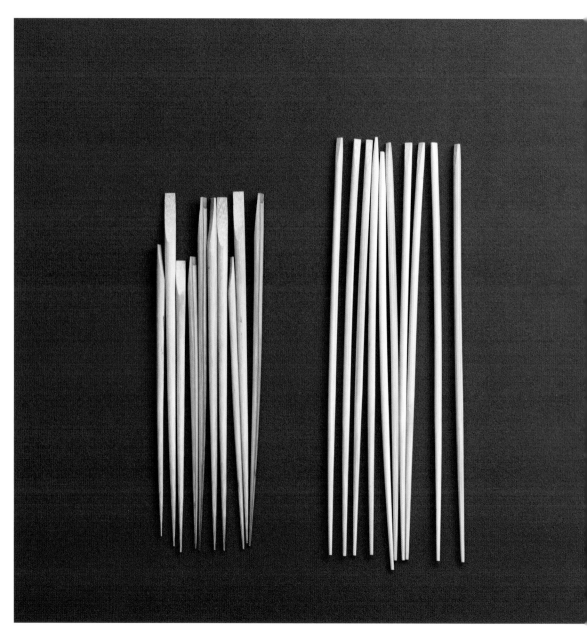

097 | 菜箸と盛りつけ箸

打ち出しの鍋や包丁、まな板、卵焼き器。時々しか使うことはないけれど、うさぎや銀杏の抜き型や落雁の型。それから……台所を見回してみると、京都の道具のなんと多いこと！　わたしの不注意で取っ手の部分を焦げつかせてしまった鍋は、修理に出せば元通り。包丁だってピカピカに研ぎ上げてくれる。「買ったらそれでおしまい」ではなく、そこから店とのおつきあいがはじまるのが京都のお店のいいところ。

右は有次の菜箸。左は市原平兵衛商店の盛りつけ箸。どちらも、使わない日はない、といっても大げさではない、たよりにしている、わたしの台所道具です。菜箸は年末20膳を総とっかえ。盛りつけ箸は、先の汚れが気になったらその都度替えます。お箸がきれいだと、料理する時の気の持ちようもシャンとする。「ひとつひとつの作業をていねいに」と活を入れてくれる、そんな存在にもなっています。使ったらきれいに洗って、よく乾かしてからガラスの鉢に立てて。使う時、ひょいと手を伸ばした先にいつもある。台所仕事がスムーズに進むのはこの箸のおかげなのです。

刃物と調理器具を扱う錦小路の有次（ありつぐ）は、刀工・藤原有次によって永禄3年（1560年）に創業し、現在18代を数えます。食事用から料理用、盛りつけ用など400種をそろえる箸の専門店・市原平兵衛商店は、明和元年（1764年）の創業。禁裏御用御箸司として今に至ります。

098 | 白い消火器

必要であることは重々承知。でもなんとなくあのまっ赤な姿に主張がありすぎて、家に合わないなぁというのも正直なところ。家具とかうつわとか、せっかく気に入りをそろえてきたのになぁ。残念……消火器ってわたしにとってそんな存在でした。

だからこの +maffs の消火器を見つけた時はうれしかった。インテリアのじゃまをせず、それどころか、ちょっとかわいげがあって気持ちが和むこんなまっしろな消火器があるなんて！　って。

我が家では、台所のすみっこに置いていますが、見るたびに「火の元を気をつけよう」そんな気持ちになるんです。台所に火の神様を祀っている家もあるかと思うのですが、我が家の場合、この消火器がその代わり。

台所にかぎらず、玄関やリビングなど、家族の目の届くところに置いても。家を訪れた人が「これ、なあに？」なんて目に留まり、そこから防災のことを考えるいいきっかけにもなりそうです。

新築祝いや、引っ越し祝い、子どもの独立など、新しい暮らしの一歩を踏み出す方へ贈ったら大喜びされること間違いなしです。

明治時代に創業した、消火器・消火設備メーカーであるモリタ宮田工業のブランド「+maffs」（マフス）が、2019年1月に発売した住宅用の白い消火器です。なかに詰まっている消火剤は、お酢の成分と、食品原料からつくられた安全な中性薬剤。飛び散りませんから、後片づけもラクですよ。

099 | 耐熱皿

いろんなうつわを使ってきたし、買ってきた。失敗もたくさんしました。そんなわたしが今ほしいのはなんのてらいもない「ふつうのうつわ」。でもふつうって、じつはいちばんむずかしい。持った時の質感、厚み、リムの大きさ、深さ、重み、重ねた時のちょっとした表情。シンプルという言葉だけでは済ませられない何かを求めたい。できれば作家性の強いものではなくて、毎日使っても飽きがこず、あつかいやすいもの。……思いつくかぎりのリクエストをかかえて相談したのは陶芸家の内田鋼一さん。最初は、まるで子どもが描いたようなわたしのメモ書きから始まったうつわづくり。途中途中も、大まかな輪郭しか伝えなかったのに、よくぞ形にしてくれましたとうなるばかりのできあがり。このうつわには内田さんの土に対する知識と経験がたくさん詰まっている。にもかかわらずたたずまいは「ふつう」。これってなかなかすごいことなんじゃないかなと思っています。「鋼正堂」と名づけたうつわは、プレート大小とスープ皿、それからこのオーバルの耐熱皿。たくさんの方にそのよさを実感していただけるといいなぁ。

パリのローカルな蚤の市で買った質実剛健な大量生産ものの家庭用のうつわをヒントに、伊藤まさこさんのイメージを内田鋼一さんがかたちにした耐熱皿。内田さんの拠点である三重県四日市市の萬古焼の工房、光泉セラミックで、鋳込成形という、ひとつの型の中に流し込む方法でつくられています。

100 | コンバース

朝10時。出張先から帰ってくると、玄関に見知らぬ靴。でもすぐにわかりました。娘の幼なじみが泊まりに来ているんだなって。なぜなら黒のコンバースはその子のアイコンだから！　お父さんもお母さんも、弟も家族みんなコンバースが好き、という彼女の家。大きいの、小さいの。色もいろいろ。玄関にずらりと並んだコンバースを見た時は、ちょっと感動したものです。

わたしはといえば、コンバースデビューはちょっと遅くて3年くらい前。じつは中学生の時に、姉が買っていた雑誌を見て憧れていたものの（ハイカットの上を少し折って履くのが当時の流行でした）、その時はなぜだか履かずじまい。50代を前に、満を持して……となったのです。コンバースのいいところは、気取らないところ。履くだけで足取りが軽くなるところ。老若男女似合う靴ってなかなかないんじゃないかしら。

weeksdaysでつくったのは大人に履いてほしいシックなネイビー。まさかあのコンバースと一緒にオリジナルをつくる日が来ようとは。雑誌を眺めていた中学生のわたしに教えてあげたい。

1908年にアメリカで創業したCONVERSE（コンバース）。1917年に生まれたオールスターは、この靴を使い、改良にも携わったバスケットボールプレイヤーにちなんで「CHUCK TAYLOR」（チャック・テイラー）とも呼ばれています。weeksdaysのオリジナルシューズも、その流れを汲んだデザインです。

ご紹介した商品の取扱会社・店リスト

この本で紹介した商品は、伊藤まさこさんの私物のため、
すべての商品を、現在も手にいれることができるとは限りません。
在庫に関しては、各取扱先へお問い合わせのうえご確認ください。

p12　蒸籠
照宝
www.shouhounet.jp/shop/

p14　キッチンクロス
fog linen work
www.foglinenwork.com

P20　はさみ
fiskrs
www.fiskars.com

p24　銀メッキのお盆
株式会社　東屋
www.azmaya.co.jp

p34　ネックピロー・アイピロー
ecomfortHouse（エコンフォートハウス）
www.ecomfort.jp

p36　ビーチサンダル
げんべい商店
www.genbei.com

p70　キャンベルズ・パーフェクト・ティー
TEA & TREATS（ティー・アンド・トリーツ）
www.tea-treats.com

p80　保存袋
株式会社紀ノ國屋
www.e-kinokuniya.com

p90　ペーパーナプキン
イケア・ジャパン
www.ikea.com/jp/ja

p94　れんげ
ばんこの里会館
www.bankonosato.jp

p98　ルームシューズ
ティームセブンジャパン株式会社
www.team7-bio.com

p100　花柄エプロン
エプロン商会
www.apronshokai.com

p114　バット
津田商会
www.tsudakobe.jp/online-shopping

p126　保存容器
野田琺瑯
www.nodahoro.com

p130　たわし
桔梗利 内藤商店
〒 604-8004
京都府京都市中京区三条大橋西詰
Tel　075-221-3018

p132　スポンジ
p148　シリコーンツール
無印良品
www.muji.com

P140　釘のブラシ
dim shop
www.dim-berlin.de

p142　ペンキ
カラーワークス
www.farrow-ball.jp

p146　パラティッシ
アラビア
www.arabiajapan.jp

p152　バケツ
マーガレット・ハウエル
ハウスホールドグッズ
www.margarethowell.jp

おわりに

「本をつくるにあたって、あらためて家の中のものを見まわすと、そのものすべてにどうして使っているのか？　という理由が存在することに気がつきました。その理由というのはとても単純で、手ざわりがよさそうとか、使い勝手がいいからとか、かわいいからとかなのですが。そんなものたちに囲まれて暮らすのは、なかなか気持ちのいいもので──」

これは17年ほど前に、つくった本のあとがき。読み返したら、今の気持ちとまったく変わっていないではありませんか。年を重ねるごとに、好きなものや使いやすいと感じるものは変化するかもしれないけれど、これからも気持ちはずっと変わらないんだろうなぁ。いつか、おばあちゃんになったらまた、その時の「まさこ百景」をつくりたいものです。中には、かっこいい杖とか、軽い鍋なんていうのもあったりして。あ、塗るととたんにシワが消える魔法のようなクリームとかもいいね。

その時まで、元気に気分よくいけますように。自分とみんなをとりまく景色が少しでもよくなりますように。

伊藤まさこ

weeksdays

ITO Masako　+　Hobonichi

https://www.1101.com/n/weeksdays/

伊藤まさこさんがプロデュースする、「ほぼ日」のなかのコンテンツ＆ネットショップが「weeksdays」（ウィークスデイズ）。ありそうでないものばかりを集めました。

テーマは衣食住。「着る」「食べる」「住む」、そしてその３つには分類しきれないようなものも含めて、暮らしをたのしくするアイテムを、毎週、紹介しています。いっしょに組むのは、個人の作家から、おおきなブランド、メーカーまでさまざま。まだひろく知られていない、あたらしい人たちとも、ものづくりをしています。対談、座談会、インタビューなど、「もの」の背景にある人や場所のものがたりも、ていねいなテキストと、美しい写真でお届けしています。

「weeks」と「days」。ふたつの言葉を合わせてひとつにしたこの店名には、「毎日たのしい何かが起こる」、そんな意味合いが込められています。

 @weeksdays_official

伊藤まさこ

1970年神奈川県横浜市生まれ。文化服装学院でデザインと洋裁を学ぶ。料理や雑貨などテーブルまわりのスタイリストとして、料理本や雑誌で活躍。自他ともに認める食いしん坊で旅好き。おいしいもの、かわいいもの、たのしいものを探し、日本や海外の各地をとびまわる。ほぼ日刊イトイ新聞で2018年7月から毎日更新のウェブコンテンツ＆ショップ「weeksdays」をスタート、商品のプロデュースを手がけている。著作多数。近著に『そろそろ、からだにいいことを考えてみよう』『おいしい時間をあの人へ』（ともに朝日新聞出版）、『伊藤まさこの買い物バンザイ！』（集英社）、『フルーツパトロール』『おべんと帖　百』（ともにマガジンハウス）、『伊藤まさこの器えらび』（ＰＨＰ研究所）、『本日晴天　お片づけ』（筑摩書房）などがある。

まさこ百景

2020 年 8 月 6 日　初版発行

著者　　伊藤まさこ
撮影　　有賀傑
編集　　武井義明
ブックデザイン　　山川路子

制作　　太田有香　斉藤里香　篠田睦美
　　　　諏訪まり沙　中神太郎　中山奈津実　酒井菜生
校正　　円水社

協力　　青木由香　おさだゆかり
　　　　SATOMI KAWAKITA　shino　田中博子
　　　　Anna Muurinen　森下圭子

発行人　　糸井重里

発行者　　株式会社ほぼ日
〒107-0061
東京都港区北青山 2-9-5　スタジアムプレイス 9F
ほぼ日刊イトイ新聞　https://www.1101.com/
weeksdays　https://www.1101.com/n/weeksdays/

印刷　　凸版印刷株式会社
©Hobonichi　Printed in Japan